Chères lectrices,

Avouez que le mois [de mars est partagé], il
joue les prolongations [de l'hiver avec ses int...]ries
dont on se serait bien passé ; de l'autre, il donne le signal de
départ du printemps et, comme pour mieux nous en convaincre,
fait fleurir crocus, jonquilles et primevères dans les jardins et les
espaces publics. Car il faut reconnaître que nous avons besoin
d'encouragement : après trois mois d'hiver — sans compter
l'automne qui l'a précédé — nous n'aspirons qu'à une chose…
le renouveau, sous toutes ses formes !

C'est ainsi qu'au mois de mars, nous sommes souvent prises
d'une frénésie de changement : désir de s'habiller autrement, de
bannir les couleurs foncées qui encombrent notre armoire ; désir
d'aérer la maison, de la rendre fraîche et pimpante pour accueillir
les beaux jours ; désir de sortir de la grisaille, de retrouver enfin
quelques journées ensoleillées… D'ailleurs, les plus chanceuses
d'entre nous n'iront-elles pas à la montagne quelques jours pour
faire le plein d'énergie ?

En ce mois de mars au caractère si capricieux, nous n'avons
donc qu'une chose à faire : nous armer de patience jusqu'aux
premiers signes tangibles du changement de saison. Et quelle
meilleure façon d'attendre le printemps que nous plonger dans
la lecture… de la collection Azur, bien sûr !

La responsable de collection

Idylle aux Bahamas

ANNE McALLISTER

Idylle aux Bahamas

COLLECTION AZUR

*éditions*Harlequin

Si vous achetez ce livre privé de tout ou partie de sa couverture, nous vous signalons qu'il est en vente irrégulière. Il est considéré comme « invendu » et l'éditeur comme l'auteur n'ont reçu aucun paiement pour ce livre « détérioré ».

*Cet ouvrage a été publié en langue anglaise
sous le titre :*
IN McGILLIVRAY'S BED

Traduction française de
ANNE DAUTUN

HARLEQUIN®

est une marque déposée du Groupe Harlequin
et Azur ® est une marque déposée d'Harlequin S.A.

Toute représentation ou reproduction, par quelque procédé que ce soit, constituerait une contrefaçon sanctionnée par les articles 425 et suivants du Code pénal.
© 2004, Barbara Schenck. © 2005, Traduction française : Harlequin S.A.
83-85, boulevard Vincent-Auriol, 75013 PARIS — Tél. : 01 42 16 63 63
Service Lectrices — Tél. : 01 45 82 47 47
ISBN 2-280-20377-4 — ISSN 0993-4448

1.

« Le paradis ! » pensa Hugh McGillivray dont le bateau se balançait au doux rythme de la mer des Caraïbes. Il lança sa ligne, pour voir s'il ramènerait un dernier poisson avant le coucher du soleil. En fait, qu'il fît une prise ou non, Hugh s'en fichait ; il venait de passer une merveilleuse journée, l'une de celles qui lui remémorait son enfance, l'époque où rien ne pouvait entamer son sentiment de plénitude.

Dieu sait qu'il avait rêvé de jours tels que celui-là lorsqu'il était pilote dans la Navy, où seuls comptaient le strict respect du règlement et les rituels de l'armée ! C'est pour cette raison qu'il avait quitté celle-ci cinq ans plus tôt et lancé Fly Guy, son entreprise de charter aérien, sur Pelican Cay, une petite île perdue des Bahamas.

La plupart du temps, il convoyait du fret ou des passagers entre les Bahamas et les villes côtières des Etats-Unis, un travail varié qui lui plaisait.

— Je n'ai pas le temps de m'ennuyer, avait-il confié la semaine précédente à son frère aîné, Lachlan.

Il lui arrivait pourtant, comme aujourd'hui, de disposer de jours de farniente dont il adorait profiter ! Il sourit, agita un peu sa ligne, puis s'abandonna à la beauté du soleil couchant, à la douceur rafraîchissante de la brise marine…

Bien sûr, il aurait pu aider sa sœur Molly à la boutique, travailler sur le moteur de l'hélico, ou encore faire sa comptabilité, mais cela pouvait attendre ! De toute façon, Molly ne devait pas être fâchée d'être débarrassée de lui pendant une journée… Depuis que leur partenariat avait débuté, voici quatre ans, ils s'entendaient plutôt bien. La rousse et volcanique Molly se chargeait surtout de la mécanique, et Hugh du pilotage. Toutefois, dès qu'ils travaillaient de concert sur un même projet, ils devenaient comme chien et chat ! Dans ces moments-là, lorsqu'il le pouvait, il faisait comme aujourd'hui : il sifflait Belle, sa chienne, et partait en mer.

Après avoir tenté sa chance dans de bons coins poissonneux, il avait jeté l'ancre dans une petite anse de Pistol Island, à quelques milles à l'est de Pelican Cay. Là, il avait savouré un en-cas et siroté une bière ou deux pendant que Belle explorait la mangrove. Puis il s'était baigné avant de reprendre paresseusement sa route vers Pelican Cay…

Trop heureux de se laisser vivre, il suivit du regard les hors-bord qui le dépassaient, sans éprouver le désir de rivaliser de vitesse avec eux. Oui, songea-t-il, personne n'était plus heureux que Hugh McGillivray sur son vieux bateau — pas même les passagers du luxueux yacht qu'il avait croisé voici un moment plus tôt, et qui festoyaient joyeusement. Il percevait encore, de là où il se trouvait, des bribes de la musique qui résonnait à bord, et distinguait les lumières du voilier qui filait vers le Nord-Ouest dans le crépuscule naissant.

Se penchant vers sa glacière, il prit une dernière bière. Au moment de son départ, ce matin-là, la glacière débordait de sandwichs et de canettes qui avaient été remplacées par des poissons, abondante provision qu'il partagerait avec Molly, avec Lachlan et sa femme Fiona.

Il avait un peu espéré ramener quelque belle prise. Son frère et lui étaient en compétition depuis l'adolescence et, à ce jour, Lachlan détenait le record pour avoir pêché un mérou de cinquante-huit livres à l'âge de dix-neuf ans. Lachlan avait beau prétendre que Hugh ne parviendrait jamais à faire mieux, celui-ci était persuadé qu'il finirait par réussir.

Ses chances étaient d'autant plus grandes que Lachlan ne pêchait plus très souvent, désormais. Il était trop occupé à collectionner les auberges et hôtels de villégiature. De plus, il était marié et Fiona attendait un bébé.

Hugh sourit en songeant à sa belle-sœur, si svelte d'ordinaire ; elle disait en plaisantant qu'elle allait finir par ressembler à un éléphant. Fiona et lui étaient grands amis, et il était convaincu qu'elle serait une merveilleuse mère. Par contre, il avait plus de mal à imaginer son frère dans le rôle de papa ; d'ailleurs, il avait déjà eu du mal à l'imaginer en mari ! Du temps où il était joueur de *soccer* professionnel, Lachlan avait été baptisé « le Play-boy » par les journaux à scandale car il traînait toujours une nuée de jolies filles à sa suite… Aujourd'hui toutefois, il n'avait plus d'yeux que pour Fiona. Le play-boy était dompté !

Hugh, lui, ne l'était guère, en revanche ! Depuis que Carin Campbell avait épousé Nathan Wolfe, deux ans plus tôt, il avait décidé que rien ne valait la vie de célibataire.

Bien qu'il n'en eût rien laissé paraître, il avait été blessé que Carin eût élu un autre homme. Comme il n'avait jamais été du genre à porter son cœur en bandoulière, personne ne savait à quel point elle avait compté pour lui. Maintenant, la seule femme digne à ses yeux d'être épousée étant prise, il avait opté pour les joies du célibat.

Ce n'était pas un si mauvais pari, finalement. Il pouvait continuer à admirer — ou plutôt à *aimer* — Carin, et profiter de leur amitié sans se priver pour autant de flirter avec les filles intéressantes qui débarquaient à Pelican Cay.

Parfois même, il flirtait « à mort » ! Il adorait draguer, et si l'aventure s'achevait dans un lit, ce n'était pas fait pour lui déplaire. Du moment que personne n'en souffrait…

Par contre, Lisa Milligan avait pris leur flirt trop au sérieux. Ils n'étaient pourtant pas allés jusqu'à coucher ensemble et la chose n'arriverait jamais, de toute façon : cela allait contre les principes de Hugh. Son credo, c'était coucher avec des filles consentantes et lucides qui ne s'imaginaient pas que cela les conduirait à l'autel !

Inutile d'être particulièrement perspicace pour deviner que Lisa Milligan avait le mariage en tête. C'était une jeune fille douce et naïve. En fait, à dix-neuf ans, ce n'était encore qu'une gamine ! Enfin, plus tout à fait, bien sûr… Depuis le printemps, elle travaillait comme hôtesse d'accueil au Mirabelle, l'hôtel de luxe que possédait Lachlan à Pelican Cay — une adresse discrète que se refilaient les V.I.P. et les « people ». Lisa avait interrompu ses études « pour se trouver », disait-elle. A vrai dire, c'était *LUI* qu'elle avait trouvé !

Au début, il l'avait gentiment draguée, comme il le faisait avec toutes les jolies filles, mais cela ne signifiait pas qu'il désirait l'épouser, bon sang ! Malheureusement Lisa était convaincue du contraire. Elle l'avait même confié à miss Saffron, la pire commère de Pelican Cay.

« D'après Lisa, ce n'est qu'une question de temps », lui avait dit la redoutable pipelette quelques semaines plus tôt tout en se balançant sous le porche vermoulu de sa véranda.

« Elle peut toujours courir ! » avait pensé Hugh, épouvanté.

Depuis, il fuyait Lisa comme la peste.

Non que cela servît à quelque chose ! En fait, il ne l'avait même pas ébranlée en lui disant carrément qu'il n'était pas homme à se marier. Elle s'était contentée de rire, en exhibant ses ravissantes fossettes.

— Je te ferai changer d'avis ! lui avait-elle déclaré.

Cela faisait un bon mois qu'elle s'y efforçait, en s'arrangeant pour le débusquer partout où il allait : la boutique, l'aire d'amerrissage des hydravions, le quai et même... dans le hamac sous la véranda !

— Je me demandais si tu allais te baigner ? lui avait-elle demandé avec espoir le matin même, alors qu'il s'y reposait en toute quiétude.

— Peux pas, avait-il grommelé, poli mais abrupt.

Il ne voulait pas lui faire de peine ; il désirait seulement lui faire comprendre qu'elle n'était pas faite pour lui. L'air abattu, elle avait murmuré :

— Oh ! Je te vois plus tard, alors ?

— S'rai pas là d'la journée.

— Je pourrais t'accompagner, non ? C'est mon jour de congé.

— Non, désolé. Je pars pour affaires.

Molly l'aurait traité de menteur, si elle l'avait entendu !

Hugh s'étira voluptueusement puis, avant de reprendre le chemin de la maison, testa sa ligne. Une tension se fit sentir.

Il se redressa en souriant, satisfait d'être récompensé de sa patience. Après avoir donné un peu de mou, il rembobina légèrement, histoire de s'assurer qu'il n'avait pas accroché un morceau de bois flotté. Il y eut un net frémissement à l'autre bout. Un frémissement très marqué, même. Son sourire s'élargit et, tout en sifflotant, il entreprit de ramener sa prise.

— Tu as vu ça ? dit-il gaiement à Belle, en voyant la ligne se tendre fortement. Notre pêche a du nerf !

Soudain, la canne se mit à tressauter puis à ployer et osciller violemment. Belle se mit à aboyer. Du coin de l'œil, Hugh capta un mouvement sur l'eau, à côté du flanc du bateau.

Un sacré mouvement, même ! La ligne fut agitée d'une secousse brutale et il enroula en hâte le fil autour de sa main. Nom de nom ! Qu'avait-il donc attrapé ?

Il s'arc-bouta et recommença à tourner le moulinet. Tout à coup, sa prise émergea.

Nom d'un petit bonhomme ! C'était une… *femme* ! Une femme folle de rage, qui hurla :

— Mais arrêtez de tirer sur cette ligne ! Vous allez déchirer ma robe !

Oh ! bon sang ! Il avait pêché une femme ? Non, ce n'était pas possible, il avait la berlue ! L'effet d'un excès de bière, peut-être… La ligne eut une nouvelle et démentielle secousse. Belle, se pencha par-dessus le bastingage et aboya en agitant la queue.

La femme était bien réelle, alors, puisque Belle la voyait aussi. Il n'avait pas d'hallucinations !

Enfin… était-ce bien… une femme ? Ou plutôt une *sirène* ? Non, *ça* c'était impensable !

— Tais-toi, idiot de chien ! grommela-t-il à Belle.

A la femme, il signifia :

— Arrêtez de tirer comme ça !

— Je ne tire pas ! J'essaie de décrocher ce fichu hameçon !

Là-dessus, elle disparut sous les eaux. Hugh, de nouveau confronté à l'océan désert, douta une fois de plus du témoignage de ses sens. Belle gémit ; il la saisissait par le collier pour la tirer en arrière lorsque la femme refit surface, et que la ligne se tendit de nouveau furieusement dans sa main. Manifestement, l'hameçon tenait bon.

— Au diable les robes pailletées ! pesta l'inconnue, exaspérée.

Hébété, Hugh crut voir en effet qu'elle portait une toilette avec de fines bretelles, brillant comme de l'argent sous la lune naissante. Franchement, quelle idée de se baigner dans une tenue pareille !

Elle tira encore une ou deux fois sur le tissu, puis abandonna la partie et fit quelques brasses qui la rapprochèrent du bateau mais l'entortillèrent davantage dans la ligne.

— Vous avez un couteau ? demanda-t-elle.

Quelle question ! Evidemment, qu'il en avait un !

— Bien sûr.

— Alors, donnez-le-moi ! Ou bien, coupez la ligne et hissez-moi à bord, ordonna-t-elle en élevant une main vers lui.

La nageuse lui rappela son ex-officier en chef de la Navy, le vieux Barrett, que avait été surnommé « capitaine Achab » parce qu'il était aussi irrationnel et entêté que le légendaire héros du *Moby Dick* de Melville.

Du diable s'il allait se laisser régenter par une sirène dictatoriale !

— Qu'est-ce que vous attendez ? demanda-t-elle en le voyant rester de marbre.

Haussant un sourcil, Hugh répondit d'une voix nonchalante :

— J'attends le sésame.

— Oh ! bon sang ! s'insurgea-t-elle en donnant de furieux coups de pied qui projetèrent de l'eau dans tous les sens.

— A votre place, je ne m'agiterais pas comme ça, suggéra-t-il. Ça pourrait attirer les requins.

— Mais il n'y a pas…, commença-t-elle en écarquillant les yeux.

— Oh si ! il y a. Il y en a, et des gros, figurez-vous. Exactement comme dans *Jaws*, de Spielberg. Sauf que là, ce n'est pas du bluff.

Il sourit tout en se disant qu'il vivait un épisode cent fois plus surréaliste que n'importe quelle invention de cinéma !

Elle le regarda, considéra Belle, posa de nouveau son regard sur lui puis, levant les yeux au ciel, marmonna à contrecœur :

12

— Donnez-le-moi *s'il vous plaît*.

— Avec plaisir, répliqua-t-il affablement.

Ecartant Belle, il saisit la main que la fille lui tendait puis tira vers le haut. Dès qu'il le put, il agrippa son autre main et la hissa à bord où elle s'affala contre son torse.

Elle était glacée, trempée comme une soupe, mais, en étreignant son corps, Hugh n'eut pas l'impression de tenir un poisson, ni celle d'enlacer une sirène.

Seins fermes et doux, hanches rondes et cuisses galbées, cette beauté surgie des eaux était cent pour cent femme. Il constata avec soulagement — presque avec irritation — qu'elle avait des jambes, et non une queue de poisson.

— Qu'est-ce qui vous a pris, de nager au beau milieu de l'océan ? demanda-t-il.

Elle s'arracha à son étreinte et recula d'un pas ou deux. Elle secoua ses longs cheveux, écarta les mèches humides de devant ses yeux et, après ça, le foudroya du regard.

— Je ne me baignais pas ! J'essayais d'atteindre votre bateau. Ça tombe sous le sens, pourtant !

— *Mon* bateau ? demanda-t-il d'un air ahuri.

— Mais oui, le vôtre. C'était le but le plus proche, précisa-t-elle comme si elle avait affaire à un demeuré.

« Comme si c'était moi le plus frappadingue ! » pensa Hugh, qui devinait maintenant d'où venait l'inconnue.

Il embrassa du regard sa robe pailletée, qui s'arrêtait juste au-dessus de ses genoux et épousait ses formes appétissantes. C'était une robe de cocktail pour riche héritière, ça ! Cette fille était forcément tombée du satané yacht, dont on apercevait encore les feux au loin.

— Que s'est-il passé ? s'enquit-il. Vous avez bu un verre de trop ? Vous avez trébuché et basculé par-dessus bord ?

— Pardon ? dit-elle d'un air offensé.

Il lui mit les points sur les i :

— Vous êtes tombée du yacht, la Belle ?

— Je ne suis pas tombée, j'ai sauté.

— Vous avez *quoi* ?

— J'ai sauté, répéta-t-elle avec calme.

— Au beau milieu de l'océan ? Mais vous êtes dingue ! Pourquoi avez-vous fait une chose aussi stupide ?

La « dingue » se redressa de toute sa taille — et ce n'était pas peu, car elle était pratiquement aussi grande que lui. Puis, le toisant de son air le plus « capitaine Achab », elle déclara :

— Parce que c'était la chose la plus pertinente.

— Pertinente ?

C'était typiquement féminin d'avoir recours à ce genre de charabia pour se justifier !

— Il n'y a pas à avoir honte si vous avez bu un coup de trop, dit-il. Ça arrive, quand on fait la fête.

— Ce n'était pas une fête, et je n'ai pas avalé une goutte d'alcool, s'écria-t-elle avec un dédain accru. Je ne bois jamais lors des réceptions d'affaires.

— En revanche, vous sautez souvent à l'eau ?

Elle le foudroya du regard.

— Après tout, si vous ne me croyez pas, je m'en fiche, décréta-t-elle. Je m'en moque éperdument. Mais si vous me passiez une serviette, ce ne serait pas de refus.

Il ne bougea pas d'un poil. Elle prit un air encore plus assassin et, pendant un instant, ils se défièrent du regard. Finalement, elle pinça les lèvres puis, avec un haussement d'épaules, ajouta de fort mauvaise grâce :

— S'il vous plaît.

Hugh eut un large sourire.

— C'est comme si c'était fait !

Il attrapa une serviette à l'arrière, où il rangeait son sac de couchage, sa glacière et autres commodités, puis la lui lança.

— Tenez !

— Merci, dit-elle avec une politesse outrée, tout en s'essuyant le visage.

— De rien, rétorqua-t-il en souriant toujours.

14

Elle détourna les yeux et se mit en devoir de se sécher. Il la regarda faire, fasciné, tandis qu'elle essuyait ses jambes et ses bras puis tentait « d'essorer » la satanée robe pailletée — une bataille perdue d'avance.

— Vous pourriez l'enlever, suggéra-t-il.

— En effet, admit-elle.

Et elle voulait bien être pendue si elle ne s'exécutait pas ! Séance tenante, même.

Enfin, façon de parler… car il lui fallut un moment pour se débarrasser de la maudite robe mouillée, qui adhérait à sa peau. Un moment passablement éprouvant pour la virilité de Hugh ! Quoique… éprouvant, n'était pas le mot approprié. Excitant aurait mieux convenu, il fallait l'admettre.

Tandis qu'il la regardait faire, bouche bée, la fichue « sirène » fit glisser les bretelles spaghettis de la robe, puis se tortilla comme une anguille pour se dépouiller de cette seconde peau détrempée. Bientôt, elle apparut en « maillot » : un soutien-gorge sans bretelles et un slip riquiqui.

Hugh s'embrasa de la tête aux pieds mais l'infernale sirène n'y prit pas garde. Enjambant la flaque que le tissu enfin dompté formait à ses pieds, elle déclara avec un grand soupir :

— Pas trop tôt ! C'est fou ce que ça tient chaud, une robe pailletée. Vous n'avez pas idée !

Certes, il n'en avait aucune ! Ni sur ce sujet ni sur aucun autre, d'ailleurs, en cet instant. Son esprit semblait s'être arrêté de fonctionner. Il s'assit. Belle vint aussitôt se poster à ses pieds, mais c'était la sirène qu'elle regardait, tout comme Hugh.

— Puisque vous tenez à vous montrer civilisé, arrêtez de me fixer comme ça, dit-elle. Mon père m'a toujours dit qu'il est très impoli de dévisager les gens.

Il déglutit, incapable de décoller son regard de sa silhouette élancée et délicieusement pulpeuse. Ses neurones ne réagissaient plus. Une autre partie de son anatomie, en revanche, semblait en pleine activité…

— Puis-je me couvrir avec ceci ? demanda-t-elle en élevant à bout de bras le plaid sur lequel Belle avait coutume de se vautrer.

— Est-ce bien nécessaire ? demanda-t-il étourdiment.

Il ne savait plus ce qu'il disait. Il était trop délicieusement troublé par la vue de ce corps ravissant pour se soucier de réfléchir. Le regard noir que l'inconnue lui lança le laissa imperturbable.

— Vous pourriez au moins me passer votre chemise. *S'il vous plaît*, ajouta-t-elle avec une ironie appuyée.

Il aurait pu la lui donner, en effet, mais il aimait mieux la garder sur lui. Les pans du tissu, flottant par-dessus son pantalon, dissimulaient fort heureusement son excitation ! Il marmonna sans aménité :

— Prenez le plaid.

Elle parut interdite. Puis, voyant son air buté, elle drapa la couverture autour d'elle avec un haussement d'épaules.

— Eh bien, dit-il en s'efforçant de ne plus songer à la vision affriolante qui s'attardait dans son esprit, si vous me parliez un peu de ce plongeon « pertinent » ?

Elle eut un regard en direction du yacht, dont les feux arrière n'étaient pratiquement plus visibles.

— On… on ne pourrait pas se remettre en route, d'abord ?

— Pour les rattraper ? demanda Hugh d'un ton dubitatif.

La tâche serait rude, en pleine nuit !

— Non ! s'exclama-t-elle avec une véhémence inattendue.

Puis elle se secoua, et reprit avec une politesse exagérée :

— Non, merci.

Hugh n'en demeura pas moins surpris.

— Vous ne voulez pas rejoindre le yacht ?

— Non, je ne veux pas ! En fait, je désire prendre la direction opposée.

— Ce n'est pas par là que je vais.

— Où allez-vous, alors ? s'enquit-elle avec une appréhension soudaine.

Il désigna d'un mouvement du menton les lumières de Pelican Cay.

— Là-bas.

Elle se tourna dans la direction qu'il indiquait et parut se rasséréner quelque peu.

— Ça fera parfaitement l'affaire, dit-elle. Allons-y.

« Tiens, tiens, pensa-t-il. Bizarre, tout de même, que cette fille puisse plonger sans hésiter dans des eaux infestées de requins et ensuite prendre peur au moment où elle ne courait plus aucun danger... »

— Vous avez commis un vol ? demanda-t-il à brûle-pourpoint.

— Un vol ? s'insurgea-t-elle, choquée. Pourquoi un vol ?

— Comment le saurais-je ? Vous avez sauté d'un bateau. Pour quelle autre raison auriez-vous pris la poudre d'escampette ?

— Je n'ai pas pris la poudre d'escampette !

— Oh ! pardon, j'oubliais ! Vous avez *pertinemment* plongé dans l'océan envahi par les requins, et à plusieurs milles de la côte la plus proche, dit-il, pince-sans-rire.

Elle détourna fugitivement les yeux ; lorsqu'elle braqua de nouveau son regard sur lui, elle était redevenue la parfaite incarnation du capitaine Achab.

— Il fallait que je m'en aille de là, c'est tout.

— Mmm.

— Ecoutez, vous voulez bien vous mettre en route, oui ou non ? Je vous dirai tout, c'est promis. Je n'ai rien fait de mal, je vous assure. J'ai juste besoin d'un peu de champ libre et de temps.

Le regardant franchement dans les yeux, elle ajouta une nouvelle fois :

— S'il vous plaît.

Malgré le soupçon de nervosité qui perçait dans sa voix, elle était tout à fait maîtresse d'elle-même. Nulle *supplication* dans sa demande. Peut-être avait-elle vraiment effectué un « plongeon pertinent », après tout !

Hochant la tête, Hugh mit le moteur en route, mais n'en démordit pas.

— Je ne mets pas pleins gaz. Ça m'empêcherait d'entendre votre histoire. Et je vous préviens : elle a intérêt à être bonne ! Pour me revaloir la bonne pêche que vous m'avez fait manquer !

— Je ne vous crois pas, dit le pêcheur bougon, lorsque Sydney lui eut raconté pourquoi elle avait sauté par-dessus bord.

Elle lui décocha un regard assassin. Nom d'un petit bonhomme ! De quel droit se permettait-il de la juger ?

—C'est pourtant vrai.

— Laissez-moi résumer : vous avez sauté en pleine mer pour ne pas vous marier ? demanda-t-il en levant les yeux au ciel.

— Plus ou moins, grommela-t-elle, les mâchoires serrées.

— Vous ne savez pas dire « non » ? Ce n'est pourtant pas bien compliqué !

Sydney toisa l'exaspérant pêcheur. Il avait une barbe de deux jours, un short en jean passablement élimé, et une vieille chemise à manches courtes d'un goût douteux, décorée de flamants roses et de palmiers.

— Vous, par contre, vous savez refuser un tas de choses, ironisa-t-elle. Les bains et les vêtements propres, par exemple.

— Je suis propre, protesta-t-il. Je me suis baigné cet après-midi.

— Baigné ?

— Toutes les eaux se valent. N'essayez pas de détourner la conversation ! Pourquoi n'avez-vous pas simplement dit : « Non, merci » ?

— Parce que cela n'aurait pas été opérant du tout, répondit-elle, en pensant : « Il ne doit même pas connaître le sens de ce mot. »

Il répéta le mot en question :

— Opérant. C'est-à-dire, en l'occurrence ?

— Approprié. Mais vous ne connaissez pas le sens de ce mot-là non plus, je parie.

— Ah ! Parce que c'est moi qui ignore ce qui est approprié ? Qui, de nous deux, a sauté en pleine mer à des milles de la côte, je vous le demande ?

18

Sydney rougit mais refusa de se laisser démonter, même si elle éprouvait une frayeur rétrospective à la pensée de son acte inconsidéré.

— En tout cas, ça a marché ! Personne ne m'a vue.

— Et ça en fait un geste « approprié » ? beugla-t-il, hors de lui. Vous êtes une imbécile de première, si vous voulez mon avis ! Si je ne vous avais pas repêchée, vous seriez noyée à l'heure qu'il est. Ou dévorée par un requin.

— J'ai repéré votre bateau.

— A un quart de mille de distance ?

« Visiblement, songea Sydney, ce type me croit folle, demeurée, ou les deux ». Pourtant, sur le coup, elle avait trouvé sa décision sensée et nécessaire. De toute façon, elle n'avait pas eu d'autre solution ! Elle n'aurait certes pu traiter Roland Carruthers, le directeur adjoint de son père, de misérable menteur ! Surtout pas devant le groupe de décideurs et d'investisseurs qu'il avait invités sur le yacht afin de fêter la fusion de Butler Instruments et de St John Electronics.

Roland le savait bien, d'ailleurs, retors comme il l'était, et s'était bien gardé de la mettre au courant de son projet. Il s'était tout simplement avancé jusqu'au micro pour annoncer, de but en blanc, leur mariage ! *A BORD !*

Ce soir, avait-il dit de sa voix aussi veloutée et râpeuse qu'un whisky vieilli en fût, les membres de l'assistance allaient avoir droit à une délicieuse surprise qui prouverait que St John Electronics formait une vraie famille : ils assisteraient, dans quelques minutes, à son propre mariage avec la fille unique de Simon St John : Margaret Sydney St John.

Autrement dit, elle-même ! Roland avait fait de son mariage une vulgaire association d'affaires ! Et il avait eu le culot de lui sourire, comme si elle ne pouvait qu'approuver !

Sydney en était restée sans voix. Lorsqu'elle avait enfin repris ses esprits, il était près d'elle, l'enlaçant par les épaules. Elle ne pouvait livrer le fond de sa pensée, car son père ne l'avait que trop bien formée : l'entreprise d'abord, c'était la règle chez les St John. Et

Sydney n'aurait jamais manqué à ce principe. Surtout pas en public. Elle faisait toujours ce qui était « le mieux pour la compagnie ».

Roland le savait, et il avait misé là-dessus, comptant sur son accord parce que ce mariage était une excellente chose pour St John Electronics.

Seulement voilà, elle avait beau en être aussi convaincue que lui, elle n'avait pas pu accepter !

L'annonce de Roland l'avait secouée au-delà de toute expression, et c'était uniquement parce qu'elle avait appris très jeune à se maîtriser en public qu'elle était parvenue à dissimuler ses sentiments. Elle ne savait trop ce qui la choquait le plus, d'ailleurs : l'annonce de Roland, ou sa propre réaction à cette annonce…

L'eût-il *réellement* demandée en mariage, lui eût-il fait la cour et cherché à lui faire croire qu'il était amoureux, elle eût dit « oui »… hélas !

Or, il n'avait rien fait de tel. Il avait tout simplement escompté qu'elle acquiescerait pour le bénéfice de la compagnie. Pour lui, ils n'étaient que des associés d'affaires, et certes pas des partenaires en amour. Malgré cela, il l'aurait épousée !

Si elle s'était montrée consentante, elle serait à présent Mme Roland Carruthers. A moins que ce ne fût l'inverse ! Car il fallait dire plutôt que Roland serait devenu M. St John Electronics !

Par chance, il ne s'était pas donné la peine de feindre des sentiments tendres. Cela avait permis à Sydney de faire une découverte d'importance : elle n'était pas prête à prendre un mari pour doper les affaires familiales ! Elle voulait faire un *mariage d'amour* !

Seulement ça, elle n'aurait pas pu le dire devant les invités.

Quand Roland l'accompagna jusqu'à la cabine où elle devait passer une robe argentée brodée de paillettes, elle essaya de le faire changer d'avis.

— C'est insensé, Roland ! Le soleil t'a tapé sur la tête !

— Pas du tout ! Cette décision est excellente pour tout le monde, Margaret.

Roland affectait de l'appeler Margaret parce que c'était, de ses deux prénoms, celui que lui donnait son père.

— Voyons, ma chère, poursuivit-il, sourd à ses protestations, ne te comporte pas en mijaurée, ça ne te ressemble pas.

Certes, mais elle n'était pas non plus du genre à obéir aveuglement à tout. Elle lui ferma donc la porte au nez.

— Allons, dépêche-toi de te changer, dit-il à travers le battant. Tout le monde attend.

— Il n'est pas question que je t'épouse.

— Margaret, voyons ! dit-il avec amusement et humeur. Arrête de faire des manières. Je remonte sur le pont. Rejoins-moi vite.

Il l'attendait encore !

Elle avait passé la fameuse robe pailletée pour donner l'impression de coopérer, au cas où on l'aurait aperçue, puis elle s'était faufilée jusqu'à la poupe, grimpant l'échelle qui menait au pont et s'était blottie dans un recoin.

Guettant l'instant où personne ne regardait dans sa direction, elle avait sauté par-dessus bord.

— Je suis très bonne nageuse, dit-elle à son sauveteur dubitatif. J'étais sûre de pouvoir vous rejoindre. De toute façon, ça valait mieux qu'un scandale.

— Ah ? Parce que si vous vous étiez fait dévorer par un requin, ça serait passé inaperçu ? s'écria-t-il.

Il semblait bel et bien furieux ! Franchement, elle ne comprenait pas pourquoi. Ce n'était pas lui qui avait risqué sa peau, après tout !

— Je ne pensais même pas qu'il y avait des poissons dans les parages, répondit-elle sottement.

— Vous avez déjà entendu parler d'un océan sans aucune faune ? riposta-t-il.

— En tout cas, vous ne pêchiez pas grand-chose.

— Et comment l'aurais-je pu, avec tout le boucan que vous faisiez en vous agitant dans l'eau comme une possédée ? Ça fait fuir le poisson !

— Les requins aussi !

Là-dessus, ils se foudroyèrent mutuellement du regard. Sans doute seraient-ils restés un moment à se dévisager d'un air hostile, si la chienne ne s'était faufilée entre eux.

« C'est une pacifiste, visiblement », pensa Sydney en se risquant à la gratter derrière les oreilles. Elle était plus amicale que son mal embouché de maître !

— Elle s'appelle comment ? s'enquit-elle.

Il pinça les lèvres. Finalement, il lâcha avec un haussement d'épaules :

— Belle.

— Bonjour, Belle, dit-elle en caressant l'animal. Tu es superbe. Je m'appelle Syd.

— Sid ? répéta le propriétaire de Belle, l'air de n'y pas croire.

— Sydney.

Elle hésita, puis livra la totalité de son nom :

— Margaret Sydney St John.

Il la regarda d'un air impavide, comme si elle n'était pas celle dont le père avait créé l'un des plus grands réseaux de télécommunications du monde ; celle dont il était sans cesse question dans les journaux depuis des jours parce qu'elle négociait, en duo avec Roland Carruthers, le rachat d'une entreprise très en vue des Bahamas. Bref, il ne semblait absolument pas réaliser qu'il avait affaire à l'une des héritières les plus en vue des Etats-Unis !

Il finit par hausser les épaules et lui tendit une main qui puait le poisson en énonçant :

— Hugh McGillivray.

« McGillivray. J'aurais dû m'en douter », pensa-t-elle. Il avait indéniablement quelque chose d'un guerrier écossais, d'un chef de clan. Fugitivement, elle se demanda de quoi il aurait l'air en kilt, et s'étonna du tour que prenaient ses pensées.

Se ressaisissant, Sydney serra sa main tendue. Le contact fut aussi... déstabilisant qu'elle l'avait anticipé. Elle avait l'habitude des mains douces et manucurées d'hommes d'affaires bien élevés. Hugh McGillivray, lui, avait une poigne rude et ferme, une paume un peu calleuse. Une zébrure légèrement ensanglantée marquait le dos de sa main.

— Morsure de requin ? s'enquit-elle.

Il fronça les sourcils, parut esquisser un demi-sourire, puis rectifia d'un air solennel :

— De barracuda.

— Vraiment ? s'étonna-t-elle en tressaillant malgré elle.

Il lui décocha un sourire sans bienveillance.

— Poisson d'avril.

« Franchement, se dit Hugh, je ne crois pas le traître mot de ce que cette Sydney a raconté ! Enfin diable, on ne saute pas par-dessus bord pour éviter de se marier ! Personne ne fait ça. C'est invraisemblable, et pourtant, elle semble y tenir, à sa fable ! Cette femme a un grain, ma parole ! »

Il la regarda à la dérobée comme il s'engageait dans le petit port de Pelican Cay. Il lui avait fallu une demi-heure pour y parvenir, à vitesse maximum, et la nuit était à présent tout à fait tombée. Au milieu des ténèbres où scintillaient les lumières du port et des maisons, et le miroitement de leurs reflets sur l'eau, l'île avait quelque chose d'un havre miniature.

Hugh sourit de plaisir à cette vue familière, mais il devinait qu'elle n'impressionnait guère Mlle Margaret Sydney St John. De toute évidence, cette demoiselle était bien plus haut placée dans l'échelle sociale que lui-même ou n'importe lequel des habitants de Pelican Town…

Aucun d'eux n'aurait baptisé une fille Sydney, par exemple ! Le vieux St John avait dû rêver d'avoir un garçon, un héritier… D'après le peu qu'elle en avait dit, il était marié à son entreprise, et sa fille n'en était qu'une sorte d'extension.

Oh ! elle était loin de s'en plaindre ! Elle avait même poussé le bouchon jusqu'à prendre la défense du tyran et de St John Electronics — et avec véhémence, encore ! —, quand il lui avait demandé pourquoi elle n'avait pas voulu embarrasser le codirecteur devant tout le monde, lorsqu'il avait annoncé leur mariage-surprise.

— Je ne pouvais quand même pas faire ça ! avait-elle protesté. Le fait que nous puissions paraître à couteaux tirés, Roland et moi, aurait nui à l'entreprise. Et puis, ça aurait bouleversé mon père.

— Mais le fait de voir sa fille dévorée par un requin ne l'aurait pas bouleversé ? avait-il répliqué.

Il regrettait presque de s'être montré si brutal, au souvenir de la façon dont elle avait pâli au clair de lune. Elle semblait avoir pris conscience pour la première fois des risques de son acte !

Hugh refoula un accès d'attendrissement. Il réagissait avec beaucoup trop d'intensité ; c'était déconcertant. Seule Carin lui avait inspiré des sensations aussi vives, et ça ne lui avait rien valu de bon... Il n'avait nulle envie de remettre ça, et encore moins pour une toquée telle que Sydney St John !

« D'ailleurs, si belle qu'elle soit, ce n'est pas elle qui me fait réagir ainsi », se dit-il, histoire de se rassurer. Cela tenait sûrement au fait qu'il était en manque de femmes... Depuis que la ravissante Lisa le traquait, les autres membres du sexe faible se montraient diablement distantes !

— Tu as une copine, expliquaient ces demoiselles en déclinant ses invitations.

— Lisa n'est pas ma copine, bon sang !

Il avait beau se récrier, peine perdue... Ah ! les femmes !

Une fois à quai, il emmènerait Sydney St John dans l'un des hôtels de Lachlan. De là, elle téléphonerait à son cher papa, qui viendrait la chercher dès le lendemain. Après ça, il ne la reverrait jamais, et tout serait pour le mieux dans le meilleur des mondes !

En l'entendant pousser un curieux soupir, derrière lui, il se retourna pour lui demander avec irritation :

— Qu'est-ce qui ne va pas, encore ?

— Rien, rien du tout. C'est juste que... c'est si beau, ici ! murmura-t-elle en lui décochant un sourire. Un vrai paradis !

Il comprenait d'autant mieux ce sentiment qu'il le partageait. Cependant, il haussa les épaules, agacé de constater qu'il était touché par son approbation et par son sourire.

— J'aime cet endroit, admit-il. Mais ce n'est pas précisément une île à la mode. Il y a quelques résidences de villégiature sur la côte Sous-Le-Vent, et même un hôtel très huppé à l'extrémité nord : le Mirabelle. Il appartient à mon frère Lachlan. Je vous y emmène.

— Non ! s'exclama-t-elle.

Il fronça les sourcils, interloqué.

— Comment ça, non ?

— Désolée. Je voulais juste dire que je ne veux pas aller là-bas.

— Attendez de l'avoir vu ! C'est superbe. Très classe. Peut-être pas le genre des palaces auxquels vous êtes habituée, mais…

— Je me fiche que ça ait cinq étoiles, ou quinze ou vingt ! Je ne veux pas aller dans un hôtel. Je veux rester incognito.

Il détailla sa silhouette drapée dans le plaid de Belle, ses cheveux plaqués par le sel et l'eau de mer. Même ainsi, elle restait incroyablement désirable. Impossible à oublier. Alors, pour ce qui était de passer inaperçue, elle… repasserait !

— Incognito. Ben voyons ! grommela-t-il avec ironie. Bien sûr. Pas de problème. Je vous vois très bien en passe-muraille.

— Mais il ne faut pas qu'on sache que je suis ici ! J'ai besoin de réfléchir ! De faire le point ! expliqua-t-elle avec une sorte de véhémence.

— L'affaire serait réglée depuis longtemps si vous aviez su dire non.

Il ajouta presque aussitôt :

— Soit. Je peux vous emmener au Moonstone. C'est un endroit plutôt cool. Un vieil immeuble victorien.

— J'ai dit pas d'hôtel, pas d'endroit public. On m'y retrouverait en un rien de temps.

— Qu'est-ce que vous voulez, alors ? Roupiller sur la plage ?

— On m'y retrouverait encore plus vite, dit-elle observer sans percevoir son sarcasme.

Elle aperçut alors son sac de couchage.

— Je vais dormir là, déclara-t-elle.

— Alors, ça, vous pouvez toujours courir !

Hugh imaginait déjà les pêcheurs de Pelican Cay, arrivant au port le matin pour voir émerger Sydney St John de son sac de couchage… Voyons, que ferait-elle ensuite, pour mieux les méduser ? Un numéro d'exhibitionnisme en se débarrassant du plaid de Belle ?

— Il n'en est pas question, reprit-il, catégorique.

Il saisit l'amarre de proue et sauta sur le quai pour l'arrimer à la bitte. Sa passagère le suivit, laissant flotter autour d'elle la couverture de la chienne et révélant à chaque pas un peu plus de son corps trop tentant.

— Ne soyez pas si négatif, McGillivray, plaida-t-elle. Acceptez, rien que pour une nuit ou deux. Je vous revaudrai ça. Je laverai le pont. Je donnerai un coup de peinture à la coque. J'aime me rendre utile.

— Non. Les pêcheurs auraient une crise cardiaque en vous voyant, dit-il en sautant de nouveau à bord pour prendre la glacière.

— Je pourrais me cacher jusqu'à leur départ en mer.

— J'ai dit non.

— Et si je restais avec vous, alors ?

— Avec moi ? Vous n'en avez aucune envie.

— Exact, mais il me faut un refuge où Roland ne me trouvera pas.

— Chez moi, ce n'est pas possible. C'est une cabane pourrie.

Il faussait quelque peu la réalité. Sa « cabane » était loin d'être vermoulue. Elle donnait sur la plage, était ancienne et confortable, en un mot idéale pour lui mais trop exiguë pour accueillir une fille comme Sydney St John !

— Une cabane, hein ? Ça ne me surprend pas, marmonna-t-elle.

— Pour vous, ce serait une cabane. Moi, ça me convient très bien.

— Je n'en doute pas, mais je saurai m'en contenter, je vous assure. Le temps de reprendre mes esprits, de déterminer un plan d'action, et je vous jure que je ne vous dérangerai pas.

26

« Siffle beau merle ! » pensa-t-il. Elle le prenait pour le roi des crédules ou quoi ?

— Il n'y a pas de place. Ce n'est qu'un chalet de plage. Pas du tout votre style.

— Que pouvez-vous bien en savoir ?

— Je connais les femmes.

— Vraiment ? ironisa-t-elle.

Ça l'agaça. Oui, il connaissait les femmes ! Elles tournaient autour de lui depuis qu'il avait quatorze ans et, en général, elle le trouvaient à leur goût. Il n'y avait que Sydney St John pour le regarder comme une poule qui a trouvé un couteau !

— Comme je vous l'ai déjà dit, bougonna-t-il, je ne suis pas votre genre.

— Je peux supporter n'importe quoi, si c'est pour quelques jours.

— Eh bien, pas moi ! Et… Ah zut ! Manquait plus que ça, pesta-t-il en s'interrompant.

Une voix joyeuse l'appelait par son nom, à l'autre bout du quai.

— Pardon ? dit Sydney d'un air interloqué.

— Rien.

Il acheva d'arrimer son bateau, attrapa son sac marin d'une main et le bras de Sydney St John de l'autre puis, se dirigeant vers la silhouette qui venait vers lui, il parvint à répondre avec indifférence :

— Salut, Lisa. Ça va ?

Lisa lui décocha un de ses magnifiques sourires, tout en observant avec curiosité la femme qu'il tenait serrée contre lui.

— Oui, très bien, répondit-elle avec moins d'assurance que d'ordinaire. Mais je me sentais un peu seule. Je croyais que tu reviendrais plus tôt.

— Je t'ai dit que j'avais… des affaires à régler.

— Des affaires ? demanda Lisa en regardant Sydney. Je ne savais pas que tu ramènerais une cliente. Je t'ai cuisiné une bouillabaisse et je pensais te l'apporter quand tu rentrerais.

— Merci, Lisa, c'est gentil de ta part. Mais nous avons ce qu'il nous faut.

— Nous ? dit Lisa en cessant de sourire, comme il l'avait escompté.

Son regard perplexe alla de Hugh à la femme qu'il tenait par le poignet — enfin, plus par le poignet, car sa main remontait en ce moment jusqu'aux épaules de l'inconnue autour desquelles il passa le bras.

— Nous, confirma-t-il. Voici Syd…

— Enchantée de vous connaître, coupa Sydney.

Lisa se décida à serrer la main qu'elle lui tendait, en marmonnant :

— Enchantée. Je m'appelle Lisa. Vous descendez au Mirabelle, ou au Moonstone ?

— Ni l'un ni l'autre, déclara Hugh avant que Sydney St John puisse placer un mot. Elle vient chez moi.

Si son revirement surprit Sydney, elle n'en laissa rien paraître. Après tout, cela comblait ses vœux !

Eh bien, ils se rendaient mutuellement service, se dit Hugh. Roland Machin-Chose se rongerait d'angoisse pendant quelques jours en se demandant s'il avait causé la noyade de la fille du boss et, pour sa part, il partagerait son toit avec une belle femme sexy. Si par-dessus le marché Lisa n'en concluait pas qu'il ne s'intéressait pas à elle, c'était à désespérer !

Car Sydney St John était diablement belle. Ses hormones mâles n'arrêtaient pas de le lui seriner !

Il pouvait faire face, non ? Après tout, ce n'était que l'affaire d'une nuit ou deux. Trois au grand maximum. Quel mal pouvait-il en sortir ?

2.

— Je vous interdis de vous servir de moi pour rendre jalouse votre copine ! s'exclama Sydney alors que Hugh McGillivray l'entraînait vers l'extrémité du quai.

Par-dessus son épaule, elle entrevit Lisa qui les regardait s'éloigner d'un air navré et paraissait au bord des larmes.

— Ce n'est pas ma copine, bon sang !

— Alors, pourquoi vous cuisine-t-elle de la bouillabaisse et vient-elle guetter votre arrivée ?

— Parce qu'elle veut devenir ma petite amie, grommela-t-il en avançant à grandes enjambées.

— Sans blague ? Elle veut devenir votre copine ? ironisa-t-elle. Pourtant, elle a l'air d'avoir toute sa tête !

— Espérons-le, ronchonna McGillivray. Je me demande ce qui lui a pris. Dieu sait que je ne l'ai encouragée en rien.

Ils venaient de parvenir près d'une vieille Jeep garée au bout de la jetée. Il flanqua ses affaires à l'arrière, puis ouvrit la portière.

— Allons, montez. On n'a pas que ça à faire.

— Ah ?

Il était étonnant de voir, songea-t-elle, à quel point la jeune Lisa avait flanqué la frousse à McGillivray. Il ne semblait pourtant pas du genre à avoir froid aux yeux, en matière de femmes…

— C'est quoi, le problème ? demanda-t-elle en montant à bord de la Jeep. Elle veut vous régénérer, c'est ça ?

Il claqua la portière, puis incita Belle à grimper d'un claquement de langue.

— C'est ce que prétend ma sœur, répondit-il tandis que la chienne se perchait d'un bond sur le sac de son maître, à l'arrière.

Enfin, pas seulement sur le sac. Celui-ci surmontait un amas constitué de casseroles et poêles, d'outils non identifiés, de T-shirts maculés de cambouis et de sacs en papier qui semblaient avoir accueilli des sandwichs. « Le tout doit se trouver là depuis la seconde guerre mondiale au moins ! » pensa Sydney, qui fit observer :

— Quel bazar !

McGillivray parut se moquer royalement du commentaire. Ignorant Sydney, il donna une caresse bourrue à sa chienne, puis tourna les talons, longeant de nouveau le quai. Il s'arrêta pour échanger quelques mots avec Lisa, tout en entassant dans les bras de la jeune fille une bonne part des affaires qu'il avait déchargées du bateau pour les poser sur le quai. Puis il saisit la glacière, et tous deux revinrent vers la Jeep.

Syd les regarda d'un air médusé. Bon, Lisa n'était pas la petite amie de McGillivray. Qu'était-elle, alors ? Sa bête de somme ?

— Merci, dit gaiement Hugh à Lisa lorsqu'ils arrivèrent près de la voiture. Mets ça à l'arrière, près de Belle.

Lisa obéit, et Sydney put constater que sa robe pailletée faisait partie du lot. Lisa dut noter elle aussi la présence de la robe, car elle fit grise mine. Quant à McGillivray, il logea tranquillement sa glacière par-dessus le reste de son bazar, sans paraître remarquer quoi que ce fût.

— Merci, Lisa, dit-il encore. T'es un vrai pote.

La jeune fille accusa le coup. Là-dessus, il s'installa au volant, mit le contact et démarra plein pot.

— Vous lui avez fait de la peine ! s'insurgea Sydney alors qu'ils s'engageaient dans une rue pavée.

Il se contenta de hausser les épaules, tandis que le véhicule cahotait. Ils grimpèrent la colline en tressautant sur des nids-de-poule, et Sydney entrevit des maisons de bois et stuc, des boutiques. Les passants saluaient Hugh, qui leur répondait par des signes de main désinvoltes.

Les lieux, qui se laissaient à peine deviner dans les ténèbres, paraissaient aussi antiques que la Jeep et la rue criblée de crevasses.

— Accrochez-vous ! dit McGillivray alors qu'ils tressautaient de plus belle. J'ai déjà expédié plus d'un passager par-dessus bord.

Rendue méfiante par son : « Poisson d'avril », qu'elle n'avait pas oublié, Sydney posa négligemment la main sur le rebord de la portière. Au même instant, la voiture tressauta violemment sur un trou plus accusé que les autres et elle dut se cramponner pour ne pas être propulsée vers l'extérieur. Elle décocha un regard furibond à son voisin. Il se contenta de sourire jusqu'aux oreilles, en commentant :

— Je vous avais avertie !

Soudain, il tourna au bout d'un champ, s'engageant à travers bois sur un chemin gravillonné. La ville disparut derrière eux, et ils s'engouffrèrent dans l'obscurité, sous un dais de végétation dense. Sydney ne distinguait presque plus rien, si ce n'est, çà et là, quelques lueurs fugitives à travers le feuillage. Brusquement, la Jeep ralentit, vira à droite puis à gauche. Un mur surgit devant eux. McGillivray pila, faisant gicler le gravier, puis coupa le contact.

— *Home sweet home*, chantonna-t-il.

Belle bondit hors du véhicule, il la suivit.

— Allons, venez, proposa-t-il à Sydney. Et gaffe aux serpents !

Des serpents ? Quelle horreur ! Elle en se pelotonna dans la couverture, sans plus bouger. Tout à coup, elle cessa de percevoir le bruit des pas de Hugh, et se retrouva environnée d'un silence inquiétant, troublé par un étrange bruissement de branches…

— Hé ! Attendez-moi ! s'écria-t-elle.

Elle sauta à bas du véhicule sans lâcher le plaid et se mit à courir.

A l'instant où elle tournait au coin de la maison, des lumières inondèrent le porche : une enfilade scintillante de flamants roses illuminait le toit de McGillivray !

— C'est bien de vous, un truc pareil ! s'exclama-t-elle. Il ne vous manque qu'une nuée de vahinés.

— Ça, c'est bon pour les Antilles, pas les Bahamas ! répliqua-t-il gaiement. Mais je ne m'arrête pas à ce genre de détail !

Là-dessus, il pressa un nouveau bouton et des vahinés au néon éclairèrent les colonnes de la véranda. Sydney ne put s'empêcher d'éclater de rire.

Elle riait toujours lorsqu'elle en franchissant les quatre marches du porche — aussi encombré d'objets divers que la Jeep : filets de pêche, poêles et casseroles, outils de mécanique, éléments de moteurs… A l'autre bout, un hamac se balançait. On apercevait aussi une planche de surf, une combinaison de plongée… comme McGillivray l'avait déclaré lui-même, les lieux n'avaient rien d'un cinq étoiles, mais l'abri était idéal.

— C'est original, déclara-t-elle jovialement.

Hugh lui décocha un regard incrédule, mais elle lui opposa une mine approbatrice et réjouie qui parut avoir raison de son humeur.

— Entrez donc, dit-il. Vous avez sûrement envie de prendre une douche. Je vais vous dénicher des vêtements.

Envahie de journaux, d'ustensiles, de vêtements en tas et d'autres pièces mécaniques, la cuisine n'avait rien à envier au porche ! D'un des amas — le tas de linge propre, espéra Sydney —, Hugh tira un T-shirt marine et un short.

— Vous voulez aussi un boxer ? proposa-t-il.

— Pardon ?

Il désigna avec hésitation ce qu'elle portait sous le plaid, en observant :

— Vous êtes… trempée.

Ça alors ! Il avait rougi ! Hugh McGillivray était gêné de mentionner des sous-vêtements de femme ? Qui l'eût cru ?

— Oui, merci, répondit-elle en réprimant un sourire.

Il lui décocha un curieux regard, puis, dans le tas, prit un boxer bleu pâle, qu'il agita dans sa direction.

— Vous pourrez emprunter des vêtements à ma sœur demain. Même si Molly ne porte guère de tenues féminines. Ou bien vous ferez des achats. Par ici.

Il se retourna brusquement et la précéda vers l'arrière de la maison.

Serrant les vêtements et le plaid contre elle, Sydney lui emboîta le pas. Il délaissa, à gauche, ce qui semblait être un petit séjour pour traverser une chambre, qui donnait sur une salle de bains. Il prit une serviette-éponge propre dans une armoire puis ouvrit les robinets.

— Laissez couler un peu l'eau, elle ne tardera pas à devenir chaude. Et soyez économe, ne videz pas le réservoir.

— Comptez sur moi, dit-elle.

Déjà, il franchissait le seuil.

— Gare aux araignées.

— Des araignées ? s'écria-t-elle en regardant autour d'elle avec affolement.

McGillivray sourit malicieusement par-dessus son épaule.

— Poisson d'avril ! énonça-t-il silencieusement, en remuant seulement les lèvres.

Pour un peu, elle l'aurait étranglé !

— Une femme qui n'a pas peur des requins ne devrait pas se soucier d'une ou deux araignées, commenta-t-il. Je vais préparer de quoi manger.

Là-dessus, il referma la porte derrière lui.

Un instant plus tard, Sydney se sentit tout à coup vidée de toute énergie. La poussée d'adrénaline qui l'avait soutenue depuis la stupéfiante annonce publique de Roland retomba sans crier gare. Elle sentit son souffle et son pouls s'accélérer et sa vision se troubla. Tout parut tourner autour d'elle.

— Au secours ! s'écria-t-elle en cherchant à se cramponner à quelque chose.

La porte se rouvrit ; McGillivray bondit et s'accroupit à côté de Sydney qu'il trouva assise par terre, dos au mur.

— Qu'est-ce qu'il y a, bon sang ?

— Ri… rien, je…

Elle tenta de se lever, mais sans succès. Un nouveau vertige l'avait saisie.

— Vous vous êtes évanouie ?

— Mais non !

— Ne bougez pas, ordonna-t-il en lui rabaissant la tête entre les genoux sans plus de cérémonie. Là... respirez à fond, plusieurs fois... et ne retombez pas dans les pommes !

— Je ne suis pas tombée dans les pommes, bon sang !

Elle inspira à grands coups saccadés, luttant pour retrouver un souffle régulier, pour paraître aussi peu affectée qu'elle le prétendait, tandis que Hugh pressait une main ferme sur sa nuque.

— Respirez, nom d'une pipe !

— Mais j... je... je... res... pire...

— Alors, ne parlez plus. Inspirez profondément. Mieux que ça !

— Ou... i...

Elle s'obstina, en dépit du sang qui battait bruyamment à ses tempes et, peu à peu, sous la contrainte de McGillivray qui lui maintenait la tête obstinément baissée, elle sentit son pouls s'apaiser et sa vision redevint claire.

— Ça y est, ça va, assura-t-elle en tentant de redresser la tête.

Hugh relâcha quelque peu la pression de sa main puis la regarda se redresser d'un œil critique, comme s'il s'attendait à la voir s'écrouler d'une seconde à l'autre.

Résolue à ne pas se laisser dompter par un nouveau malaise, elle inspira profondément. Le plaid glissa de ses épaules. D'un geste vif, en poussant un curieux soupir étranglé, McGillivray la drapa de nouveau dans la couverture qu'il serra étroitement autour d'elle. Surprise, elle leva vers lui un regard écarquillé.

— Quoi ? Qu'est-ce qu'il y a ? demanda-t-il.

— Rien. Je... c'est juste que vous semblez... Je n'aurais pas cru que...

— Que quoi ?

— Que vous étiez homo.

— *Hein ?* s'étrangla-t-il. Comment ça, je suis *homo* ?

— Ben... vous n'arrêtez pas de me couvrir ! A croire que ma vue vous offense ! Je sais que je n'ai rien d'une star, mais tout de même !

Je suis assez séduisante. En tout cas, personne n'a jamais détourné les yeux de moi comme vous le faites !

Il lâcha un « pff ! » étouffé et se mit debout, comme pour établir la plus grande distance possible entre elle et lui. Puis il déclara :

— Et vous en concluez que je suis gay ?

— Vous savez, ça m'est égal, si vous l'êtes.

— C'est censé me réconforter ?

— Eh bien, je…

Il se redressa de toute sa taille et lâcha d'une voix traînante :

— Ai-je l'air si homo que ça, la Belle ?

Lentement, elle leva les yeux, passant des genoux de McGillivray à la hauteur supérieure ; du coup, elle ne put manquer de voir la réaction virile qui se laissait deviner sous son bermuda.

— Oh ! dit-elle d'une toute petite voix.

— Précisément, énonça McGillivray, l'air mi-satisfait mi-peiné.

Soudain écarlate, elle balbutia inconsidérément :

— Euh… désolée… Est-ce que… je peux faire quelque chose ?

— Non mais je rêve !

Elle s'empourpra de plus belle.

— Je ne voulais pas dire *ça* ! protesta-t-elle. Je… Oh ! et puis zut ! Laissez tomber.

— Je survivrai, lui apprit McGillivray, pince-sans-rire.

Là-dessus, il lui tendit une main.

— Allons, essayez de vous lever, pour voir si vous avez toujours le tournis.

Sydney aurait préféré dédaigner son offre, mais elle avait trop peur de s'écrouler une nouvelle fois. Aussi la saisit-elle pour se mettre debout. Cependant, avertie à présent de l'effet qu'elle avait sur lui, elle se hâta de la relâcher dès qu'elle fut en position verticale.

— J'ai eu un léger malaise, c'est tout, fit-elle observer.

— Puisque vous le dites, répondit-il avec une lueur amusée dans l'œil.

Elle distinguait cependant autre chose, dans son regard intense et viril. De l'attirance ? En tout cas, une sorte de courant passait entre eux, qui semblait les river sur place dans un échange muet.

Puis McGillivray détourna les yeux et se dirigea vers la porte.

— Dépêchez-vous, lui dit-il d'une voix râpeuse. Le bacon est en train de brûler.

Sydney se retrouva seule une fois de plus dans la salle de bains, mais quelque chose avait changé : il y avait de l'électricité dans l'air, c'était net. Elle connaissait bien cette sensation pour l'éprouver régulièrement lorsqu'elle était sur le point de conclure enfin un important contrat d'affaires.

En ce moment, elle ressentait la même chose. Toutefois, cela n'avait rien à voir avec le boulot. Il s'agissait... d'attirance sensuelle. McGillivray manifestait du désir pour elle.

C'était la première fois qu'elle était confrontée à cela. Les hommes, en général, ne se montraient pas particulièrement empressés auprès d'elle. S'ils lui manifestaient de l'intérêt, c'était en tant que fille de Simon St John. Roland, par exemple, ne lui avait donné aucune raison de penser qu'il voulait l'épouser par attirance. Par contre, il n'avait pas fait mystère qu'il voyait dans leur mariage une union d'intérêts, ce qui était plutôt mortifiant.

Enfin... pas tant que ça, depuis que McGillivray lui avait révélé son trouble. Tout à coup, elle se sentait très femme et avait une conscience aiguë de sa semi-nudité.

Sur le bateau, elle avait ôté sa robe sans réfléchir, sans attendre de réaction particulière, tout simplement parce qu'elle n'aurait jamais imaginé qu'on pût « succomber à ses charmes » !

Hugh McGillivray n'y avait pas précisément « succombé », d'ailleurs, se remémora-t-elle. Néanmoins, il avait eu une réaction physique, une réaction toute virile...

Elle sourit à cette pensée. Cela la faisait se sentir vivante et désirable. Enfin, elle se faisait l'effet d'être une femme, une vraie, et non un atout de St John Electronics ! C'était quelque chose de terriblement neuf...

Une fois douchée, elle enfila les vêtements que Hugh McGillivray lui avait prêtés. Puis, histoire de se porter chance, elle parfuma la naissance de ses poignets avec l'after-shave légèrement poivré de son hôte en se surprenant à songer activement à l'avenir.

« C'est une erreur », se dit Hugh, tout en s'activant dans la cuisine et en s'efforçant de ne pas penser à la femme nue qui se douchait dans la salle de bains proche.

Il n'aurait pas dû amener Sydney St John chez lui ! Cette femme représentait un danger, une menace… Elle était cent fois plus tentante que Lisa Milligan et le pire est qu'elle ne semblait pas en avoir conscience ! En plus, parce qu'il avait voulu ménager sa pudeur, elle le prenait pour un homo ! Lui qui ne s'était jamais senti aussi peu gay de toute sa vie !

Tandis qu'il s'affairait à la préparation d'une omelette, il la revoyait surgir nue hors de sa robe pailletée… et ses sens redoublaient d'ardeur.

S'il la revoyait encore telle qu'il l'avait entrevue un instant plus tôt sous son plaid, il se sentirait encore plus… gêné aux entournures. A moins qu'elle n'accompagne ses exhibitions d'un peu d'action…

Ah non ! Pas question qu'une telle chose se produise ! Il comptait bien l'éviter, parce que Sydney St John n'était pas différente de Lisa Milligan. Si son récit était véridique — et l'épisode sur le yacht devait l'être, car personne n'irait inventer une histoire aussi grotesque ! —, alors, cette fille était une idéaliste. Elle avait refusé d'épouser ce Roland Machin-Chose pour raisons d'affaires, ce qui signifiait qu'elle avait une conception romantique du mariage.

Rien à redire à cela : c'était précisément ce qu'il désirait pour lui-même, ce qu'il avait voulu avec Carin. Cependant, comme il ne pouvait avoir Carin, il avait appris à vivre autrement. A s'amuser, à se contenter de parties de plaisir sans implications sentimentales… alors que Sydney St John avait les mots « mariage » et « engagement » placardés sur sa figure, ou presque.

— Pas question de passer aux choses concrètes, dit-il à Belle.

Il s'estimait donc prêt à affronter Sydney St John. Or, lorsqu'elle le rejoignit dans la cuisine et qu'il vit tressauter joliment ses seins libres sous le T-shirt qu'il lui avait prêté et admira ses jambes galbées dépassant du short, il oublia ses belles résolutions.

Elle avait enveloppé ses cheveux dans une serviette nouée en turban et avait ainsi l'allure d'une reine égyptienne. Une vraie Nefertiti.

— Ah ! je me sens mieux ! déclara-t-elle.

— C'est une bonne chose, répondit-il le plus froidement qu'il put. Asseyez-vous donc et servez-vous.

Il fit glisser une omelette sur son assiette, puis lui désigna des toasts et divers restes de préparations culinaires, offrandes de Lisa.

— Ensuite, nous mettrons une ou deux choses au point, ajouta-t-il.

— Bien sûr.

Sydney se servit en souriant, goûtant à l'omelette avant d'ajouter de la salade dans son plat.

— C'est délicieux ! C'est vous qui avez préparé tout ça ? Moi, je suis nulle en cuisine, admit-elle gaiement.

Elle engloutit le contenu de son assiette en commentant :

— Ça fait du bien par où ça passe ! J'avais une faim de loup !

Hugh la regarda dévorer de bon appétit en dissimulant le plaisir qu'il avait à la contempler. Pour finir, agacé par son propre trouble, il se leva et se mit à arpenter la cuisine.

— Qu'est-ce qu'il y a ? demanda-t-elle d'un air étonné.

— Rien. Je… j'allais faire du café. Vous en voulez ?

— Volontiers !

Il en prépara une pleine cafetière et ces gestes simples l'aidèrent à reprendre possession de lui-même. Tout en s'activant, il passa en revue dans son esprit ce qu'il avait à lui dire pour que leur cohabitation temporaire n'apporte aucun désagrément.

Après avoir déposé deux tasses fumantes sur la table, il s'assit face à Sydney avec une gravité délibérée, pour souligner l'importance de ce qu'il s'apprêtait à dire.

— Règle numéro un, commença-t-il.

— Pardon ?

— Il faut que nous établissions un certain nombre de règles. Pour que vous n'ayez pas d'idées erronées.

— Pas d'idées err… continuez. Je vous écoute.

Avait-il réellement perçu du sarcasme dans sa voix ? Il plissa les yeux ; elle sourit. Il accentua son expression de dédain renfrogné.

— Je ne veux pas que vous vous mettiez des idées en tête.

— Des idées ? Quelles idées ?

— A notre sujet.

— *A notre sujet ?* répéta-t-elle en écarquillant les yeux. Nous ?

— Oui, nous. Vous et moi. Au vu de ce qui s'est passé tout à l'heure, dit-il en désignant la salle de bains d'un mouvement du menton.

— Oh ! je vois ! Vous voulez parler de votre démonstration d'hétérosexualité ?

Le visage de Sydney arborait une expression neutre, mais il savait pertinemment qu'elle le provoquait. Hugh serra les mâchoires.

— Appelez ça comme vous voudrez. Seulement, n'allez pas vous imaginer que je suis intéressé. Parce que ce n'est nullement le cas !

Elle sourit.

— Vous avez failli me faire croire le contraire.

— Je ne vous ai pas accueillie ici pour rebuter Lisa afin que vous preniez le relais ! asséna-t-il froidement.

— Qu'est-ce que vous craignez que je m'imagine ? Vous pensez que je veux vous *épouser* ? Nom d'un petit bonhomme ! Mais je n'ai même pas voulu épouser Roland, et il a un métier, lui au moins !

Ce fut Hugh, cette fois, qui écarquilla les yeux. Elle le croyait sans boulot ? Eh bien, soit. Tant mieux.

— Très juste, commenta-t-il. Il ne faudrait surtout pas qu'on vienne vous distraire de votre longue marche vers la vie de vieille fille.

Sydney s'étrangla avec la gorgée de café qu'elle avalait, se ressaisit et lui décocha :

— La vie de vieille fille me paraît de plus en plus attirante, depuis que je vous écoute.

Il regarda se soulever ses seins au rythme de sa respiration, et éprouva le besoin de s'éclaircir la gorge avant de continuer :

— Ravi de vous l'entendre dire. Pour plus de sûreté, il me semble quand même préférable d'établir quelques règles de conduite pendant la brève durée de votre séjour chez moi.

— Franchement, les règles de conduite commencent à m'insupporter. J'en ai suivi pendant toute mon existence, et voyez où ça m'a menée !

— Règle numéro un, reprit-il sans désemparer. Vous vous procurerez des vêtements bien à vous dès demain matin.

Il n'avait aucune envie de continuer à la voir dans cette tenue. C'était plus aguichant que n'importe quelle robe moulante !

— A condition que quelqu'un m'avance de l'argent, dit-elle. Je ne veux pas que Roland retrouve ma trace grâce à ma carte de crédit.

— Je vous donnerai du liquide. Règle numéro deux…

— Vous n'avez pourtant pas l'air d'un fana de règlements ! interrompit-elle.

— Je ne les aime guère, avoua-t-il étourdiment.

— Alors, pourquoi ces exigences ?

« Parce que j'ai envie de vous sauter dessus ! » Il se garda de dire cela, bien entendu et formula plutôt, avec quelque raideur :

— Pour vous mettre à l'aise.

— Ce n'est pas le meilleur moyen ! J'en ai marre des règles. Je suis bien décidée à m'en passer, à l'avenir.

« Au moins, elle a du cran », pensa-t-il en voyant resurgir en elle le satané capitaine Achab. Il esquissa un demi-sourire.

— Tant mieux pour vous.

— Vous croyez ? demanda-t-elle avec un sourire rayonnant.

Elle se pencha vers lui avec animation.

— J'ai réfléchi pendant que j'étais sous la douche. Je me demandais comment j'étais tombée dans ce guêpier. J'ai repensé à ce qui s'est passé sur le yacht et à tout ce qui m'a conduite à ça… à Roland, à mon père. A ce qu'ils attendent de moi et à ce que je désire.

Puis elle se redressa fièrement, et affirma :

— Je veux que ça change. Et radicalement, encore !

Voyant qu'elle semblait quêter du regard son approbation, il déclara :

— C'est ça. Montrez-leur un peu.

— Comptez sur moi ! Voilà vingt-sept ans que je vis selon la loi de mon père. C'est ma faute, je le reconnais. Je me suis efforcée d'être la fille douce et malléable qu'il voulait avoir, et aussi le garçon qu'il aurait aimé voir assurer sa succession en affaires. Résultat : je n'ai jamais été qu'un rouage de la machine. Je n'ai jamais compté en tant que personne. Alors, basta ! A dater de maintenant, je serai moi-même.

Hugh la gratifia d'un sourire.

— Parfait.

— Mais d'abord, il faut que je découvre qui je suis.

— Excellente idée.

Il la comprenait d'autant mieux qu'il avait eu une démarche comparable quand il avait commencé à mettre en cause les diktats de l'armée. Il avait aimé un tas de choses, dans la Navy, mais le fait demeurait que cette vie ne lui correspondait pas : ce n'était pas lui.

— Qu'est-ce que vous allez faire ? demanda-t-il à Sydney.

— Vivre un peu !

Elle y avait mis un tel accent ! Elle semblait avoir l'intention de vivre tout court, et intensément !

— C'est-à-dire ?

— Je vais cesser de donner la priorité à St John Electronics. Cesser d'être le fils que mon père n'a jamais eu. Cesser de faire ce qu'on attend de moi pour réaliser *mes* désirs ! Pour commencer, je vais trouver un boulot dès demain. Je ne peux quand même pas abuser de votre hospitalité.

— Amen ! marmonna-t-il. Mais vous ne pouvez pas trouver de boulot ici, vous n'y vivez pas.

— Je crois que je pourrais m'y installer.

— Hein ?

— Pourquoi pas ? J'ai des talents, du savoir-faire !

— C'est sûr que ça vous sera bougrement utile de savoir comment on organise un gala de charité, ironisa-t-il.

— J'en suis capable, mais j'ai d'autres capacités. En fait, je suis un cadre important de St John Electronics ! Enfin… je l'étais.

— N'y renoncez surtout pas pour nous !

— Je le fais pour moi, souligna-t-elle.

— C'est insensé, à la fin ! objecta Hugh. Vous n'allez pas quitter votre job pour emménager sur une île où vous n'aviez jamais mis les pieds.

— Pourquoi pas ? D'ailleurs, je l'ai vue un peu. Vous me l'avez fait traverser.

— En pleine nuit. Vous ne la connaissez pas du tout.

— Inutile que je la connaisse. Du moins pour l'instant. C'est moi que je dois découvrir d'abord !

Hugh se prit la tête à deux mains, l'air de penser : « Délire ! »

— Ne vous affolez pas, ça ne vous nuira en rien. Ça pourrait même vous faire du bien.

— Qu'est-ce que vous voulez dire ?

— Tout. Ou rien.

— Ecoutez, si vous entendez par là…

— Arrêtez d'objecter, bon sang ! Je tiens à faire mes preuves, et le meilleur moyen, c'est encore d'assumer un travail. Je suis parfaitement capable de diriger une affaire ! J'ai dirigé St John lorsque papa a eu sa crise cardiaque.

— Ben voyons.

— L'entreprise n'a tout de même pas roulé toute seule pendant huit mois ! s'exclama-t-elle. Quoi qu'en pense mon père.

— Ah ! parce qu'il ne s'est rendu compte de rien ? ironisa Hugh.

— Les médecins m'ont déconseillé d'aborder ce sujet. Il voulait savoir qui tenait les rênes et quand je lui répondais que c'était moi, il s'agitait, dit-elle. Pour lui, les femmes ont besoin qu'on s'occupe d'elles et ne peuvent rien assumer. Alors, j'ai arrêté de lui parler de la boîte et je me suis contentée de faire ce qu'il fallait. J'ai cru qu'il comprendrait le rôle que j'avais joué lorsqu'il reprendrait la direction des affaires. Belle idiotie de ma part !

Sydney secoua la tête et passa la langue sur ses lèvres. Troublé au-delà de toute expression, Hugh ne put retenir un gémissement.

Se méprenant sur la nature de sa réaction, elle commenta :

— Très bien, ne me croyez pas si ça vous chante ! De toute façon, j'en ai fini avec St John Electronics. Je peux très bien diriger une autre entreprise ! Il faut seulement que quelqu'un m'engage.

— Les boulots de ce genre ne sont pas légion à Pelican Cay. Cessez de rêver. Il y a ici quinze mille personnes tout au plus, et ce n'est pas en y ajoutant les perroquets que ça changera quoi que ce soit !

— Je suis sûre que quelqu'un peut m'engager.

— Et moi, je suis certain du contraire ! Vous vous prenez peut-être pour la huitième merveille du monde, mais nous n'avons nul besoin de vous à Pelican Cay.

« Moi encore moins que quiconque », ajouta-t-il *in petto*. Il força le trait :

— Nous ne faisons ni dans les P.-D.G. ni dans les femmes d'affaires de haut vol. Alors, allez donc vous trouver un job ailleurs.

Elle le dévisagea, bouche bée, puis se ressaisit et railla :

— Comme si vous vous y connaissiez en femmes d'affaires !

— Je…

— Ce n'est pas parce que vous n'avez rien de mieux à faire que de taquiner le poisson que le reste du monde est pareil !

— Vous avez tout lieu de vous réjouir de ce que je « taquine le poisson » comme vous dites.

— Je vous ai remercié, fit-elle observer en rougissant.

— Vriament ? Curieux, mais je ne m'en souviens pas.

Ils se foudroyèrent du regard. Soudain, Hugh se leva, emporta les assiettes vers l'évier et les y déposa sans douceur.

— Sentez-vous libre de travailler, puisque vous y tenez tant, dit-il en désignant d'un geste l'évier débordant de vaisselle. Je suis sûr que vous serez à la hauteur.

Elle eut un haut-le-corps indigné, mais il s'en fichait. Ça lui apprendrait à ironiser sur ses séances de pêche ! Délibérément, il bâilla en s'éloignant vers la chambre. Un instant plus tard, il entendit du remue-ménage derrière lui : elle s'était levée de sa chaise.

— Où vais-je dormir ? demanda-t-elle.

— Pas avec moi.

— Je n'ai pas voulu dire que…

— Il y a un hamac sous la véranda, interrompit-il, peu désireux de s'attarder outre mesure sur le sujet. Prenez-le. Ou alors, essayez le canapé.

Il eut un coup d'œil dans cette direction et vit le petit canoë qu'il avait posé la veille sur l'amas de vêtements qui surmontait le canapé en question.

— Enfin, peut-être pas le canapé, rectifia-t-il.

— Vous n'avez pas de chambre d'amis ?

— Quand on en a une, on se retrouve avec des invités, fit-il remarquer.

Comme par exemple ses ineffables parents ou sa tante Esme, qui avait si fâcheusement tendance à se mêler de ce qui ne la regardait pas. Les invités, il les expédiait au B & B, chez Lachlan. De cette manière, il avait la paix.

— Qu'est-ce qu'il y a là, alors ? dit Sydney en désignant la porte de sa pièce à tout faire — une ancienne chambre. Il appelait ça son « bureau », mais, à vrai dire, il s'agissait plutôt d'un débarras.

— Un bazar.

— On pourrait le débarrasser.

— Pas question.

— Je veux bien m'en charger, vous savez.

— Vous n'en ferez rien du tout. Il est presque minuit.

Voyant son air obstiné, il ajouta avec un soupir :

— Bon, très bien. Prenez ma chambre pour ce soir. Je dormirai dans le hamac. Mais pour une nuit seulement !

Il fit volte-face et appela sa chienne d'un claquement de doigts.

— Viens, Belle. Il est temps de tomber dans les bras de Morphée.

— C'est ça, répondit Sydney. Reposez-vous en vue de la harassante journée de pêche qui vous attend demain !

— J'aimerais bien, répliqua Hugh en réprimant un sourire. Hélas ! je m'envole pour la Jamaïque aux aurores.

— Vous… vous envolez ? balbutia-t-elle, comme si elle doutait d'avoir bien entendu.

Saisissant son portefeuille dans la poche arrière de son short, il en tira une carte de visite qu'il envoya valser dans sa direction.

— Nous ne sommes pas tous des P.-D.G. de haut vol, miss St John, mais vous n'êtes pas la seule capable de diriger une entreprise. Bonne séance de vaisselle !

3.

« Je n'ai jamais lavé autant de vaisselle ! » pensa Sydney. Et elle ne s'était pas contentée de celle qui étaient posée dans l'évier. Elle avait commencé par celle-là dès que M. « Fly Guy » avait claqué la porte de la cuisine ; ensuite, occupée à ruminer au sujet de la satanée carte de visite, elle avait machinalement continué et ce n'était pas la vaisselle sale qui manquait dans les parages ! Hugh McGillivray devait se charger de cette tâche une fois par semaine tout au plus !

Ça la turlupinait de savoir qu'il pilotait, qu'il avait bel et bien une entreprise et vivait de ses talents de pilote et transporteur, que ce soit de passagers ou de n'importe quel autre genre de cargaison. C'était ce qu'indiquait le fichu bristol : *FLY GUY ISLAND CHARTER*. Et dessous, en plus petits caractères : *Où que vous alliez, à quelque moment que ce soit, appelez… Hugh McGillivray, Propriétaire et Pilote.*

Il fallait en conclure, supposait-elle, que le bonhomme possédait d'autres atouts que sa beauté de brun athlétique, sa tendresse pour les chiens, son redoutable esprit caustique et son style « ôte-toi de mon soleil »…

Un instant, elle se dit qu'il n'avait fait imprimer cette carte que pour clouer le bec à ceux qui mettaient son genre de vie en cause. Cela dit, elle n'y croyait guère : ç'aurait été trop d'effort, pour un type comme McGillivray.

Il ne s'était même pas donné la peine d'aller prendre une douche. Il avait déclaré tranquillement, en prenant le chemin de la plage :

— Je vais me baigner.

Au moment où elle avait fini la vaisselle et remplacé les draps de son lit, il n'était toujours pas revenu. Elle supposait que les draps qu'elle avait trouvés étaient propres, car ils sortaient du placard où il avait pris la serviette-éponge. En fin de compte, il y avait un semblant de logique dans la méthode de rangement de Hugh McGillivray ! La vaisselle sale allait dans l'évier et sur le plan de travail ; celle qui était propre un peu partout ailleurs. Le linge sale s'amoncelait en tas à l'abri du battant de la porte de derrière ; celui qui était propre se trouvait dans le placard de la salle de bains ou entassé sur les chaises. Il y avait aussi d'autres piles, qu'elle n'avait pas encore identifiées. Elle plia le linge net et le rangea dans le placard. Puis repoussa dans un coin le linge sale.

Enfin, elle se risqua sur le porche, louvoya entre les objets divers qui l'encombraient pour gagner les marches, et se tint là, laissant son regard s'accoutumer peu à peu à la pénombre.

Un éclat de lune scintillait sur la mer, au-delà de quelques buissons bas et d'une étroite bande de sable. Pas de McGillivray en vue, et ce n'était pas plus mal. Elle n'avait pas très envie de penser à lui, pas plus qu'elle ne se sentait disposée à analyser la sensation d'excitation qui s'emparait d'elle chaque fois qu'elle le regardait… ou qu'il la regardait.

Elle n'avait nul besoin d'être distraite de son but. Elle aimait se concentrer sur un problème et déterminer les moyens de le surmonter. C'était sa force ; son père le disait, en tout cas, et Roland aussi qui venait d'en avoir une démonstration qu'il n'oublierait sans doute pas de sitôt…

Sydney savoura la brise qui lui caressait le visage, la calmait, éloignait ses pensées de ce qu'elle avait quitté.

C'était vraiment beau et paisible, ici. Rien à voir avec la jet-set, le glamour, la vaine agitation et les paillettes. On n'entendait que le bruit doux du ressac qui venait se briser sur la grève… Elle se serait volontiers rapprochée du rivage, mais l'avertissement de McGillivray concernant les serpents s'attardait dans son esprit. Y en avait-il réellement ?

Difficile de savoir, avec lui. Il avait un côté plaisantin qu'elle captait mal. Les hommes qu'elle côtoyait ne la taquinaient guère, d'ordinaire, ils s'efforçaient au contraire de prévenir le moindre de ses désirs.

« Très peu pour McGillivray, ça ! » pensa-t-elle en observant la maison où il habitait. C'était une construction basse qui devait être peinte d'un jaune lumineux, à en juger par la couleur que mettait en évidence la lumière du porche. Elle s'étirait sur une hauteur surplombant le rivage. Au loin, parmi les arbres, on pouvait entrevoir d'autres maisons éclairées, disséminées le long d'une anse à la courbe ample et douce. Il y avait çà et là des bâtiments plus importants, sans doute des hôtels, mais rien ici n'évoquait le chapelet de palaces qu'elle connaissait à Paradise Island.

Roland se trouvait-il là-bas, en ce moment ? Ou bien était-il lancé à sa recherche ? Elle espérait bien qu'il nageait en pleine panique ! Il n'avait que ce qu'il méritait !

Elle songea soudain que si elle n'avait pas sauté par-dessus bord, elle serait dans doute au lit avec lui, en cet instant, et cette pensée la fit frissonner. A moins qu'il n'ait envisagé qu'un mariage platonique, une sorte de mariage blanc ?

Non, ce genre d'invraisemblance-là, c'était bon pour les romans. Roland Carruthers n'était pas assez imaginatif pour envisager un mariage sans sexualité. Même s'il ne l'épousait que pour son argent, il aurait voulu jouir de ses « droits conjugaux » : c'était une sorte de « fusion », ça aussi, comme en affaires. Quant à la passion, l'amour, les élans intenses… tant pis, il n'y avait qu'à s'en passer !

Soudain, la vision de Hugh McGillivray surgit dans l'esprit de Sydney. Entre elle et lui, c'était différent. Il y avait du courant, de sacrées étincelles, même ! Cependant, quoi qu'il pût penser, elle n'envisageait pas de nouer une relation avec lui. Sûrement pas ! Il était si arrogant, si imbu de sa personne !

Malgré tous ses efforts pour chasser son image, elle n'y parvint pas. En réalité, le courant de tension qui passait entre eux l'intriguait, la titillait. Elle n'avait jamais rien éprouvé de tel. Même s'il lui était arrivé de rencontrer des hommes séduisants qui lui avaient inspiré quelque intérêt, cela n'avait rien eu de comparable avec... cette excitation explosive, enthousiasmante !

Elle avait très envie de savoir si les sensations qu'elle avait ressenties face à McGillivray, tout à l'heure, seraient susceptibles de se répéter...

« Raison de plus pour rester à Pelican Cay », conclut-elle. Elle était bien résolue à s'y installer, à y trouver un job. A explorer ce qui la poussait vers McGillivray.

« Gare ! lui souffla une voix. Autant jouer avec le feu. » Certes, il y avait danger à côtoyer ce type, elle le devinait bien. Malgré tout, elle désirait pousser l'expérience à son terme, maintenant qu'elle ressentait, pour la première fois, une véritable attirance explosive en présence d'un homme.

Elle sourit et offrit son visage à la brise venue de la mer. Soudain, elle aperçut, au clair de lune, la silhouette d'un homme surgissant des eaux.

Un homme bien découplé, un vrai, entièrement nu, doté d'une grâce particulière, et dont la peau luisait sous la lune.

Comme hypnotisée, elle contempla les contours de McGillivray qui s'était immobilisé sur le rivage. La bouche sèche, le ventre embrasé par un trouble venu du plus profond de sa féminité, en proie au désir, elle ne pouvait en détacher les yeux. Dieu, qu'il était beau ! Elle crevait d'envie de partager le lit de cet homme-là !

Elle continua à le regarder, s'abreuvant de sa splendeur et de son propre désir en s'efforçant pourtant de dompter l'emballement de ses sens. Oui, elle voulait se brûler à ce feu, mais pas tout de suite.

Il fallait qu'elle apprenne à domestiquer la flamme, d'abord.

Pour l'instant, le mieux était d'aller se coucher, et toute seule. Elle avait pris assez de décisions révolutionnaires pour aujourd'hui !

Hugh adorait s'installer dans son hamac pour y faire une sieste, par les après-midi d'été de farniente, ou pour siroter un verre tout en lisant quelque livre. Toutefois, y passer la nuit, c'était diablement long ! Surtout quand on ne pouvait pas dormir !

Or, Hugh n'arrivait pas à trouver le sommeil. « La chaleur, sans doute », se dit-il en se retournant pour la énième fois, tel un poulet sur sa broche. A 3 heures du matin passées, il n'avait encore pour ainsi dire pas fermé l'œil.

Chaque fois qu'il s'y risquait, il imaginait Sydney St John allongée entre ses draps. Oh ! bon sang ! Il avait passé l'âge de l'adolescence depuis belle lurette ! Il était adulte, non ? Il savait maîtriser ses désirs…

Agacé, il se retourna si brusquement dans son hamac qu'il dégringola avec un bruit sourd sur le plancher de la véranda. Belle, qui dormait à ses pieds, sur une couverture, gémit et l'observa d'un œil inquiet.

— Nom d'une pipe ! grommela-t-il en massant son épaule endolorie tout en se relevant.

A quoi bon s'obstiner à essayer de dormir dans ce truc ? Il n'y arriverait jamais. « Autant aller à la boutique », pensa-t-il. Il y avait un lit, là-bas, et surtout une pile de paperasses en retard. Ça oui, c'était susceptible de l'assommer pour un moment !

Après avoir gratifié Belle d'une caresse rassurante, il alla jusqu'à la porte de la cuisine en étouffant un bâillement, entra et pressa l'interrupteur. Là, il écarquilla les yeux d'étonnement. Plus une assiette sale en vue. Les lieux étaient nickel !

Il sourit. Curieusement, il n'était pas surpris que Sydney ait relevé le défi qu'il lui avait lancé, mais il ne devait pas oublier qu'elle était un peu frappée. Il fallait l'être, pour sauter dans une mer infestée de requins et pour s'imaginer trouver une place de P.-D.G. à Pelican Cay !

Elle s'était plainte — à juste titre selon lui — d'avoir gâché son temps dans un travail où sa compétence n'était nullement reconnue. Hugh ne lui reprochait absolument pas de vouloir faire ses preuves ; il voulait juste qu'elle aille les faire ailleurs !

Heureusement, il n'avait guère de souci à se faire à ce sujet. Seul le complexe hôtelier de Lachlan exigeait une direction de haut niveau, et Lachlan s'en chargeait personnellement. Toutes les autres affaires de Pelican Cay étaient des affaires familiales, que les îliens géraient eux-mêmes. Miss St John s'en rendrait vite compte et prendrait de nouveau la poudre d'escampette.

Rasséréné à cette pensée, il déversa sur la table le contenu du pot où il conservait une liasse de dollars et de pièces, et griffonna un petit mot :

« Utilisez ça pour vous acheter des vêtements. S'il vous faut davantage d'argent, montrez ce billet. Je paierai la dépense.

H. »

Puis il regarda autour de lui et constata que ses vêtements propres avaient disparu. Elle avait dû les emporter dans la chambre et les plier pour les ranger dans les tiroirs, comme une maniaque de la propreté. Autrement dit, il allait devoir entrer dans la chambre pour se procurer de quoi s'habiller le lendemain !

Sydney dormait. Ses longues jambes galbées luisaient au clair de lune, un nuage de cheveux bruns encadrait son visage. Et quel visage ! « Elle aurait pu être une vedette de cinéma », pensa Hugh qui avait eu son lot de beautés célèbres dans sa vie sentimentale. Sydney St John avait les hautes pommettes, la bouche pulpeuse que l'on recherchait pour le grand écran…

Tandis qu'il la contemplait, elle s'agita dans son sommeil. Ses traits se crispèrent, elle roula sur elle-même, serrant l'oreiller contre elle, et cria farouchement :

— Non ! Je refuse !

Hugh s'empressa de reculer loin du lit. Il ne voulait pas entendre des choses qui ne le regardaient en rien, il ne voulait pas être le témoin de sa détresse.

Il tira un tiroir. Ses vêtements s'y trouvaient, alignés dans un ordre parfait. Agacé, il étouffa un juron.

— Non ! J'ai dit non ! continua Sydney, de plus en plus agitée.

Il s'empara en hâte d'une chemise, d'un short, d'un slip, voulut refermer les tiroirs puis se ravisa et sortit aussi des vêtements pour elle. Puis il quitta la pièce.

Le bruit de ses cris véhéments le suivit jusque dans le couloir. N'ayant jamais su résister au besoin de voler au secours d'une

« demoiselle en détresse », il revint sur ses pas. Belle l'avait rejoint et le regardait d'un air inquiet. Il hésita.

— Allons-nous en, Belle. C'est pas nos oignons.

— Non, arrêtez ! Arrêtez ! Je ne veux pas ! Je ne veux pas ! furent les mots qui lui parvinrent de la chambre.

Puis il y eut un grand bruit sourd. Lâchant un juron étouffé, Hugh se rua dans la pièce. Au lieu de tomber par terre, comme il s'y était attendu, Sydney s'était brusquement retournée sur sa couche et avait heurté le mur avec son poing. Si violemment que le plâtre s'était écaillé.

Il s'élança vers elle tandis qu'elle roulait sur le dos et ouvrait les yeux.

— Allez-vous-en ! hurla-t-elle.

Là-dessus, elle lui envoya un direct qui l'atteignit à l'œil.

— Aïe ! Nom d'un petit bonhomme !

Sydney le dévisagea un instant, hébétée et stupéfaite, respirant de façon saccadée. Enfin, elle parut réaliser où elle se trouvait et lâcha :

— Oh ! c'est vous…

— Oui.

Hugh tâta prudemment son œil en grimaçant.

— Désolée. Je ne voulais pas… Je… j'ai fait un cauchemar.

Il s'efforça de ne pas se laisser aller à la pitié, de ne pas céder au besoin instinctif de la serrer contre lui. Dieu merci, il savait songer d'abord à sa propre sauvegarde !

— Alors, ce n'était pas contre moi ? demanda-t-il d'un ton léger.

— Navrée… je vous ai pris pour…

— Roland ?

Elle acquiesça en tremblant et serra ses bras autour d'elle. Puis elle ramena la main devant elle et suçota ses phalanges meurtries en grimaçant de douleur.

— Est-ce que ça va ? Il faut peut-être appeler un médecin.

— Je n'ai pas besoin de ça ! Je vais très bien !

— Ben voyons… C'est sûrement le contrecoup. Le choc, dit-il.

52

Elle voulut protester, puis renonça.

— C'est moi qui ai fait ça ? demanda-t-elle en voyant la crevasse dans le plâtre.

— A moins que ce ne soit un serpent, suggéra-t-il.

Comme elle regardait autour d'elle avec affolement, il souligna :

— Je blaguais.

— Ce n'est pas drôle !

— Non, je suppose. Vous êtes sur les nerfs. Si je vous préparais quelque chose pour vous détendre ?

— C'est-à-dire ? Un verre d'alcool, je parie.

— Si vous y tenez, répondit-il négligemment. Mais je pensais au remède de ma tante Esme. Elle ne jurait que par ça et nous en donnait chaque fois que nous n'arrivions pas à dormir.

— Votre tante Esme, hein ? dit-elle, visiblement soupçonneuse, et même incrédule.

— C'est la tante de mon père, en fait. Elle avait toujours un remède pour tout. Je vais vous préparer ça.

Ça valait infiniment mieux que de rester là, à voir se soulever ses seins sous le T-shirt d'emprunt ! Il détala vers la cuisine. Sydney l'y suivit.

— Qu'est-ce que c'est ? Qu'est-ce que vous préparez ?

— Top secret. Vous ne pouvez pas regarder. Sinon, ça ne marchera pas. Retournez vous coucher, je vous l'apporte.

— Pourquoi ça ne marcherait pas ?

— J'en sais rien. Elle disait ça, c'est tout. Mon père prétendait que c'est parce qu'elle y mettait de la bave de crapaud.

— De la bave de crapaud ? répéta-t-elle, effarée.

Hugh sourit jusqu'aux oreilles.

— Mon père est médecin. Il pense que tante Esme est une sorcière.

— Et c'est pour ça que vous me préparez sa panacée ?

— C'est pour que vous dormiez. Allons, retournez au lit. Je vous jure qu'il n'y aura pas de bave de crapaud.

— Bon, très bien… J'espère que ça va marcher…

Hugh espéra qu'elle serait rendormie, lorsqu'il aurait préparé le breuvage chaud. Bien entendu, il n'en fut rien. Quand il revint dans la chambre, Sydney était au lit, mais éveillée, la lampe de chevet allumée à côté d'elle. Elle huma le bol qu'il lui tendait d'un air soupçonneux.

— Ça sent la bave de crapaud.

— Pas du tout, c'est du lézard. Buvez.

Elle s'étrangla avec la première gorgée, puis finit par se calmer.

— Ce que vous pouvez être puéril ! Hé ! c'est drôlement chaud ! commenta-t-elle en avalant. En fait… c'est juste du lait, hein ? Avec quelque chose en plus…

— Du lézard, soutint Hugh. Et une araignée ou deux.

— C'est ça. Et des serpents, je parie.

— Pas du tout. Esme avait une peur bleue des serpents.

— Je suis sûre que vous n'avez pas de tante Esme. Et que vous avez ajouté une rasade de rhum là-dedans ! dit-elle d'un ton accusateur.

Il haussa les épaules.

— Je pensais que vous aviez dépassé l'âge légal, dit-t-il.

Elle acquiesça, continua à boire, puis se carra en souriant contre les oreillers.

— C'est bon. Merci.

Son sourire suffit à le faire reculer de deux pas du lit.

— Je suis content que vous aimiez ça. Buvez tout et puis éteignez la lumière et tâchez de vous rendormir. Je vous verrai demain. Enfin, tout à l'heure, plutôt. Dans l'après-midi.

— Comment ça ?

— Je vais à la boutique.

— Maintenant ?

— Oui. Je n'arrive pas à dormir, dans ce fichu hamac.

— Désolée. Je ne savais pas que vous étiez un travailleur qui a besoin de son temps de sommeil, lorsque j'ai emprunté votre lit. Je vais prendre le hamac.

— Mais non, ne vous faites pas de souci. Je somnolerai sur le divan du bureau.

— Et votre œil ? Il faudrait mettre de la glace dessus. Sinon, vous allez avoir un coquard.

La voyant faire un mouvement pour quitter le lit, il arrêta son geste.

— Laissez ça. C'est moi qui décide si j'ai besoin de glace ou non !

Ils se défièrent du regard.

— C'est bon, concéda-t-il. J'en appliquerai si vous restez calmement au lit.

— Soit. Merci.

— De rien.

Là-dessus, il s'éloigna vers le seuil, sortit et referma la porte derrière lui.

Une fois sous la véranda, il se dit qu'il ne devait peut-être pas la laisser ainsi. Et si elle faisait un nouveau cauchemar ? Si elle paniquait ?

Il s'assit sur la balançoire, plus inconfortable encore que le hamac. Au bout d'un moment, il rentra dans la cuisine et s'installa sur une chaise. Pas mieux. Il tenta d'improviser un lit avec la pile de linge. « Ah ! ça semble tolérable », se dit-il lorsqu'il fut allongé au sol.

Le rai de lumière disparut enfin sous la porte de la chambre ; il était plus de 4 heures. Hugh soupira, s'agita. Sydney devait dormir, sans doute, mais pas lui ! Et puis, son œil lui faisait mal.

Il se leva, enveloppa des glaçons dans un sac plastique et les appliqua sur sa paupière meurtrie. Ce fut à cet instant que les hurlements recommencèrent, dans la chambre.

— Oh ! bon sang ! s'écria-t-il en envoyant valser les glaçons dans l'évier pour courir dans la pièce.

Sydney se débattait en dormant, agitant convulsivement jambes et bras.

— Réveillez-vous !

Elle se redressa en sursaut et le dévisagea d'un air hébété.

— Pourquoi criez-vous après moi ?

— Ce n'est pas moi qui criais, la Belle, c'est vous.

— Oh ! Oh, désolée, je… Je…

55

— Poussez-vous.

— Pardon ?

— Poussez-vous, j'ai dit.

Il se jeta sur le lit, à côté d'elle.

— Mais qu'est-ce que vous faites ? s'écria-t-elle d'une voix suraiguë.

— A votre avis ?

Là, elle parut réellement interdite.

— Détendez-vous, lui dit-il en la contraignant à se rallonger. Je ne vais pas abuser de la demoiselle en détresse. Je veux seulement convaincre votre inconscient, si je peux, que Roland n'est pas là et que vous pouvez dormir en paix.

— Mais… vous serez là, vous.

— Et alors ?

— Eh bien, je n'arriverai peut-être pas à dormir comme ça non plus.

— Possible. Mais moi, j'espère bien que j'y parviendrai ! répliqua-t-il.

4.

Sydney ne sut jamais si Hugh avait dormi ou pas. En dépit de ses protestations et de ses doutes, elle sombra presque aussitôt dans les bras de Morphée. Pour de mystérieuses raisons sur lesquelles elle préférait ne pas s'attarder, la présence du corps ferme de McGillivray à côté d'elle, son bras viril qui l'enveloppait et son souffle régulier opérèrent un tour de magie. Elle s'endormit sans même s'en rendre compte, d'un sommeil paisible et sans rêves.

Quand elle se réveilla, le soleil était déjà haut dans le ciel. Ce furent des voix jeunes et joyeuses, retentissant sous la fenêtre, qui la tirèrent véritablement de son endormissement. Elle perçut le bruit du ressac, se demanda où elle était, puis tout lui revint d'un coup : Paradise Island, le voyage en yacht, Roland et son annonce de mariage, sa plongée dans les eaux. Et McGillivray.

Se redressant en sursaut, Sydney regarda autour d'elle d'un air affolé. Elle était seule dans la chambre et dans le lit. En ce moment, du moins, mais elle n'avait pas dormi seule, elle s'en souvenait parfaitement. Cela ne lui était jamais arrivé, auparavant.

Elle avait *couché* avec deux hommes, ça oui. Deux expériences qui n'avaient rien de mémorable ! A vrai dire, elles avaient même eu quelque chose de désagréable. Après la première fois — un épisode d'adolescence plus maladroit qu'épanouissant — elle avait conclu qu'elle devrait réessayer avec « l'homme idéal ». La seconde fois en revanche, quatre ans plus tôt, lorsqu'elle s'était crue amoureuse de Nicolas alors qu'il n'était épris que de l'héritière de

St John Electronics, elle n'avait pas eu la moindre envie de retenter l'expérience. Avec personne !

Roland, au moins, avait conquis sa place dans l'entreprise grâce à ses propres mérites. Même s'il avait ensuite envisagé leur mariage parce qu'il le considérait comme une bonne opération financière !

En tout cas, il n'y avait jamais eu entre eux la moindre étincelle sensuelle… Pas un instant elle n'avait songé, ou désiré, faire l'amour avec Roland. Elle aurait amplement le temps pour cela lorsqu'elle rencontrerait l'homme de sa vie, l'épouserait et voudrait des enfants. D'ici là, elle se portait parfaitement sans sexualité active !

Enfin ça, c'était avant Hugh McGillivray… Curieusement, il ne lui inspirait pas la même superbe indifférence que Roland et les autres hommes. Pourtant, elle avait seulement *dormi* avec lui. Drôle de chose, non ?

Elle aurait aimé pouvoir mettre cela sur le compte de la boisson qu'il lui avait préparée, et qui devait bel et bien contenir du rhum ou quelque autre alcool. Quoi qu'il en soit, c'était McGillivray, et non l'alcool, qui l'avait aidée à s'endormir. Rien qu'en repensant à lui, elle éprouvait un regain d'excitation et d'énergie.

« C'est le premier jour de ma nouvelle vie ! » songea-t-elle.

Elle sauta à bas du lit et se mit à l'œuvre.

La maison de McGillivray était vraiment merveilleuse, une fois qu'on faisait abstraction de son indescriptible désordre. Elle n'avait rien d'un palais, comme la demeure de Long Island où elle avait grandi, ou encore le somptueux penthouse de son père à New York.

Chez McGillivray, il n'y avait que des meubles de récupération, des éléments de décoration qu'on voyait traîner partout. Toutefois, l'endroit était lumineux, aéré, et possédait une vue magnifique sur la plage et la mer turquoise. Et surtout, il était cosy et accueillant. Or, Sydney n'avait jamais connu de foyer accueillant…

Le soleil envahit la chambre lorsqu'elle rabattit les volets, mais ne parvint cependant pas à étouffer les couleurs qui explosaient de toutes parts — sur les meubles dépareillés, sur le futon d'un bleu roi éclatant, sur la chaise à bascule imprimée de feuilles de palmes et les coussins bariolés. La pièce avait du confort et un style bien à

58

elle, né de la désinvolture avec laquelle on avait visiblement négligé de lui en donner.

Sydney aimait l'allure des lieux. C'était frais, culotté, authentique, tout comme McGillivray lui-même. Si quelqu'un voulait bien faire un sort au désordre, ce serait encore plus formidable.

Eh bien, elle serait ce quelqu'un, puisque McGillivray avait visiblement horreur de s'en charger !

Elle se mit à trier, redresser, organiser, ranger, garder ou laisser, dépoussiérer, nettoyer, briquer. Elle commença par ranger la chambre-débarras, puis continua par les autres pièces. Une fois qu'elle eut passé à travers l'appartement comme une tornade, tout était propre, net et incroyablement dégagé.

Alors, elle prit une douche, enfila le T-shirt et le short propres que McGillivray avait sortis pour elle, puis noua ses longs cheveux noirs encore humides en queue-de-cheval, une coiffure qu'elle n'avait plus portée depuis l'âge de dix ans. A présent, elle découvrait un reflet inhabituel dans le miroir. Envolée la toujours parfaite Margaret St John, avec son maquillage raffiné et impeccable, ses cheveux lissés, son élégance discrète ! La femme qu'elle voyait dans la glace semblait… plus jeune, plus terrienne, plus instinctive.

« De plus, j'ai un coup de soleil », pensa Sydney en regardant son nez qui commençait à peler et ses satanées taches de rousseur, qu'elle avait toujours soigneusement masquées sous du fond de teint et qui paraissaient soudain la mettre au défi de les faire disparaître.

Elle s'examina pensivement, puis sourit comme une gamine. Elle avait l'impression de retrouver une vieille connaissance : une dénommée Syd qui lui plaisait bien, autrefois, avant qu'elle ne soit enterrée sous la bonne éducation policée de Margaret St John.

« A nous deux Pelican Cay ! » songea-t-elle.

Puis elle sortit sous le soleil.

Sur la plage, quelques rares baigneurs jouaient au volley. Le sable, presque rose, s'enfonça agréablement sous ses pas lorsqu'elle s'aventura vers le rivage pour jeter un coup d'œil.

Le panorama correspondait bien à ce qu'elle avait entrevu la veille au crépuscule. Un vrai paradis ! Un havre superbe et inentamé, plein d'un charme mystérieux.

Cependant, avant d'en goûter les délices, elle devait s'acheter des vêtements et se trouver un travail ! Munie de l'argent que lui avait laissé Hugh, elle emprunta la route criblée de nids-de-poule pour prendre la direction du village — du moins, le supposait-elle.

Plus elle s'éloignait de la mer, plus la chaleur se faisait sentir. Très vite, elle fut en nage. Lorsque la route étroite s'élargit enfin, à travers les arbres, sur un terrain de foot bien entretenu, elle ne put réprimer un soupir de soulagement. A côté, se trouvait une bâtisse neuve et à droite, dominant le tout, une sculpture faite d'objets de rebut, absolument incroyable, ahurissante. Elle se dressait sur près de quatre mètres de haut et était composée de bois flotté, de rails de chemin de fer, de capsules de bière, de flacons de lait solaire, de feuilles d'alu… L'homme ainsi improvisé qu'elle représentait tenait un T-shirt bariolé à bout de bras ; des lunettes de soleil géantes étaient perchées sur son nez en forme de canette de soda, et une vieille casquette à visière déchiquetée le « protégeait » du soleil. Sydney le dévisagea, ébahie et amusée en même temps. Apparemment, c'était là qu'échouait le « bazar » de McGillivray !

— C'est la première fois que vous le rencontrez ? demanda gaiement une voix derrière elle.

Sydney se retourna. Une femme, sortie d'une cabane proche, venait dans sa direction.

— Oui, répondit-elle. Il est étonnant.

— N'est-ce pas ? Nous l'appelons le Roi de la Plage. C'est ma belle-sœur qui l'a fait. Qui continue à le faire, d'ailleurs. Il a besoin d'être peaufiné, comme tous les hommes, dit en souriant l'inconnue.

Sydney sourit à son tour.

— Il est mieux que bien des hommes de ma connaissance !

— Ça oui ! s'exclama l'inconnue.

Elle portait un short d'homme, frère jumeau de celui de Sydney et, par-dessus, un T-shirt orange fané — ce qui l'empêchait de jurer abominablement avec la superbe crinière rousse et bouclée de sa propriétaire, que celle-ci avait domestiquée à l'aide d'un serre-tête mauve.

— Vous devez être l'amie de Hugh, reprit-elle.

— Euh… oui, balbutia Sydney. Mais com…

— Il me l'a dit. Je suis Molly.

— Molly ?

— Molly McGillivray, sa sœur. Pour mon malheur ! précisa-t-elle gaiement. En partant, ce matin, il m'a appris qu'il avait amené une amie, et que je devais me tenir à distance de sa maison pour qu'elle ait la paix. Je me demande bien pourquoi, acheva-t-elle en s'efforçant de dissimuler un sourire.

— Je… j'ai eu une rude journée, hier, murmura enfin Sydney, qui ne savait trop que répondre.

— Grâce à Hugh ? demanda en riant Molly.

— Pas vraiment, non.

— Mais quel cachottier ! Il n'a pas pipé mot. N'empêche, je suis vraiment contente !

— Contente ?

— Qu'il aille enfin de l'avant.

N'ayant pas la moindre idée de ce à quoi elle faisait allusion, Sydney risqua prudemment :

— Il n'a pas parlé de vous non plus.

— Oh ! les mecs ne parlent pas de leurs sœurs, en général ! C'est vous qui lui avez fait ce coquard ?

— Accidentellement, expliqua Sydney en rougissant.

— Bon, bon, je n'insiste pas. Rien ne vous force à raconter. Est-ce que vous allez l'épouser ?

— Pardon ?

Molly éclata de rire.

— Je ne recule pas devant certaines questions ! Les gens prétendent que je suis culottée. « Cette petite McGillivray n'a pas le moindre tact », voilà ce qu'ils disent, et c'est vrai, d'ailleurs. Mais Hugh est mon frangin, je l'aime et je veux ce qu'il y a de mieux pour lui. Vous semblez savoir le prendre.

— Ça m'étonnerait, répondit Sydney, passablement sidérée.

— En tout cas, vous semblez bien partie pour. Il se soucie de vous ; il est très protecteur. Alors, vous allez l'épouser ?

« La sœur de McGillivray est décidément têtue ! » pensa Sydney, qui répondit de façon énigmatique :

— Nous avons eu une discussion à ce sujet.

Ils avaient effectivement parlé mariage, après tout, mais pas dans le sens que Molly espérait…

— C'est un début. Au moins, vous n'avez pas prétendu que vous étiez amis. Vous êtes forcément spéciale pour Hugh, sans cela, il ne vous aurait pas invitée à vivre avec lui.

— Je ne *vis pas* avec lui. Je suis là pour un jour ou deux.

— C'est un début, répéta Molly. Hugh n'a jamais demandé à aucune femme de venir chez lui. Ça veut dire qu'il commence à oublier Carin.

« Ah ! parce qu'il y a une Carin ? » songea Sydney.

— Carin ? répéta-t-elle. Qui est-ce ?

Molly plaqua une main sur sa bouche d'un air contrit.

— Qu'est-ce que je vous disais ? Pas le moindre tact ! Je n'aurais jamais dû vous dire ça… Oh ! et puis zut, après tout ! Vous avez le droit de savoir.

Après une hésitation, elle continua :

— Carin Campbell. Une artiste. Elle a vraiment du talent. Elle a exposé à New York, Miami et Santa Fe, mais elle habite ici, à Pelican Cay. Elle possède un cottage, une galerie et une boutique de cadeaux juste en bas de la rue.

— Je vois, affirma Sydney qui ne voyait rien du tout.

Puis, comme Molly n'ajoutait rien, elle demanda :

— Et alors ?

— Et alors, rien.

— Comment ça, rien ? Je ne comprends pas.

— Carin s'est mariée il y a deux ans avec Nathan Wolfe.

— Le photographe ?

— Vous le connaissez ?

— Non, mais j'en ai entendu parler. Je possède quelques-uns de ses recueils de photos. Il a un talent fou.

— Et il est diablement beau. Amoureux de Carin et père de sa fille.

Molly eut un soupir et conclut :

— Hugh n'a jamais eu la moindre chance.

— Oh ! dit Sydney, qui comprenait à présent : Hugh était amoureux de Carin.

— Il ne l'a jamais dit, s'empressa de préciser Molly. Et il ne le dira jamais. Hugh est comme ça, il n'exerce aucune pression sur les gens. Pendant des années, il a été « juste ami » avec Carin. Il ne l'a jamais harcelée, il l'a laissée mener la barque. Résultat, elle s'est jetée dans les bras de Nathan. Et Nathan en a vu de toutes les couleurs. Mais pas à cause de Hugh, le pauvre.

— Mais… puisqu'il n'a jamais rien dit, comment pouvez-vous être certaine qu'il…

— C'est mon frère, coupa Molly. Je sais à quoi m'en tenir. Hugh est ainsi fait. En surface, bien sûr, c'est la décontraction absolue, et il n'a peur de rien. Du moins, c'est l'impression qu'il aime donner. Mais vous savez ça mieux que moi.

— Euh… eh bien, euh… Oui. Bien sûr, marmonna faiblement Sydney.

— Donc, oui, il aimait Carin. Mais pas autant que vous.

— Pardon ? s'exclama Sydney, médusée. Qu'est-ce que vous voulez dire par là ?

— Je vous l'ai déjà expliqué : il m'a signifié de garder mes distances. De vous laisser respirer. C'est la première fois qu'il se montre protecteur avec une femme. Ouvertement protecteur, je veux dire. Alors, conclut Molly, rayonnante, c'est signe que les choses avancent. Je suis contente que vous soyez là !

Sydney commençait à s'interroger sur l'attitude de Molly : à son avis, trop de femmes se mêlaient de l'existence de Hugh McGillivray ! Elle s'empressa de changer de sujet avant de prononcer des paroles qu'elle pourrait regretter.

— Il m'a parlé d'une boutique où je pourrais acheter des vêtements. Erica's, c'est ça ?

— Oui, on y trouve des tenues très chic et très tendance. Je portais ce genre de choses lorsque j'enseignais. Quelquefois, je ramenais à la maison des trucs incroyables ; c'était pire que d'avoir de l'huile de moteur et du cambouis, comme aujourd'hui !

— Ça vous arrive si souvent que ça, d'avoir du cambouis ?

— Tous les jours, depuis que je travaille ici, répondit gaiement Molly en désignant le magasin d'où elle était sortie. Je suis le mécanicien de Hugh et son copilote. Ça, c'est pour le côté marrant. Seulement, je me farcis aussi le boulot ennuyeux : les coups de fil, la comptabilité, les carnets de rendez-vous...

— Ce n'est pas ennuyeux, la comptabilité, objecta Sydney.

— Hein ? Vous aimez aligner des chiffres ?

— J'adore ! répondit Sydney avec un large sourire. On dresse des colonnes de débit crédit, et lorsque tout colle, c'est comme une œuvre d'art.

— Mince ! dit Molly comme si elle avait affaire à quelqu'un d'un peu dérangé.

Sydney fut traversée d'une idée, hésita un instant puis se dit : « Après tout, pourquoi pas ? »

Elle déclara :

— Si vous détestez ça, je peux m'en charger à votre place.

— Pardon ?

— J'ai dit que...

— Oui, je sais, j'ai entendu. C'est juste que je n'arrive pas à y croire. Vous vous portez volontaire pour faire ma comptabilité ?

— Et la facturation aussi. Si vous voulez, bien sûr.

— Si je veux ? Oh ! mais je ne demande que ça ! s'écria Molly en sautant de joie. Pour un peu, je vous embrasserais !

— Mais il faut que je fasse un peu de shopping, d'abord.

Molly lorgna le short et le T-shirt de Hugh que portait Sydney.

— Vous voulez des trucs de fille ?

— Des vêtements classe. Et qui m'aillent.

— Alors, allez chez Erica. Ou à The Cotton Shoppe. C'est juste en bas de la colline.

— J'y vais de ce pas, conclut Sydney en s'engageant dans la direction indiquée.

— Et après, vous revenez pour la compta, hein ?

— Oui. Je pourrais même en faire un vrai boulot.

— Vous cherchez un boulot ?

— Oui, je…

— Alors, c'est du sérieux, Hugh et vous ! Je m'en doutais ! s'exclama Molly, l'air ravi.

Sydney voulut la détromper puis elle s'avisa que Molly ne la croirait sans doute pas. D'ailleurs, ce n'était pas plus mal qu'elle la prenne pour la petite amie de son frère ! C'était ce qu'il voulait que Lisa pense, non ? Si d'autres personnes aussi en étaient persuadées, ce n'en serait que plus efficace ! Il lui déplaisait d'induire Molly en erreur, mais elle devinait que McGillivray n'en serait pas fâché…

— A tout à l'heure ! dit-elle en s'éloignant.

« Avec un peu de chance, elle sera partie », pensa Hugh en amerrissant juste au-delà du petit port de Pelican Cay. Il savoura, comme de coutume, le panorama de la ville, qui se découpait sur fond de ciel cuivré. Toutefois, alors qu'il amenait l'hydravion à son point de stationnement, il éprouva une sensation de nervosité.

Pendant toute la journée, il s'était évertué à chasser Sydney St John de son esprit sans le moindre succès.

Tandis que Doc Rasmussen se ravitaillait, il était allé à la plage, puis dans l'un des bars fréquentés par les jolies filles, pour se remémorer toutes les expériences qu'il lui restait encore à faire… mais il n'avait pu refouler le souvenir de la nuit passée avec Sydney.

Quand avait-il dormi avec une femme sans lui faire l'amour ? Du temps de son enfance, peut-être, lorsqu'il partait en randonnée avec une bande de copains, filles et garçons mêlés, dont il partageait la tente… Plus jamais ensuite !

Or, la veille, il avait tenu Sydney dans ses bras et ne l'avait pas touchée. Pas physiquement, du moins. Il avait seulement fait de son mieux pour éloigner d'elle les démons qui la tourmentaient.

Il lui semblait y être parvenu, car elle s'était endormie presque tout de suite et puis, souriant dans son sommeil, elle s'était blottie contre lui. Oui, blottie ! Le pire, c'est qu'il en avait fait autant et s'était niché contre elle. Un acte inédit de sa part !

Eh bien, c'était terminé. Il espérait bien ne pas trouver Sydney chez lui en arrivant. La veille, il avait envisagé qu'elle séjourne deux ou trois jours, le temps de faire enrager Carruthers et de rebuter définitivement Lisa. Or, après ce qui s'était produit, il n'était plus du tout du même avis : il ne voulait pas qu'elle reste !

Pendant son escale à Kingston, dans la journée, il avait acheté un ou deux journaux qui parlaient des St John et de Sydney en particulier. Enfin... ils l'appelaient Margaret ! Ils louaient son intelligence, son caractère raisonnable, posé, son éducation.

Tout en aidant Doc Rasmussen à charger dans le canot les médicaments qu'ils avaient ramenés, il s'était dit qu'il ne voulait plus jamais approcher cette femme. Elle était trop dangereuse pour un homme au sang chaud tel que lui !

Sur le dock de Pelican Cay, Maurice Sawyer attendait dans son taxi, prêt à transporter le ravitaillement médical jusqu'à la clinique de l'île.

— Désolé d'avoir du retard, dit Hugh.

— Pas de problème ! répondit Maurice en lui donnant une claque sur l'épaule. Mais j'imagine que tu es pressé.

En voyant son large sourire, Hugh sentit qu'il y avait anguille sous roche.

— Et pourquoi serais-je pressé ? demanda-t-il, non sans appréhension.

— Tu n'as tout de même pas oublié la jolie nana qui t'attend ?

Doc, qui passait près d'eux à ce moment-là en trimballant des boîtes de médicaments, leur demanda avec curiosité :

— Une jolie nana ? Qui ça ?

— La nana de Hugh, lui répondit Maurice. Un sacré morceau, crois-moi. Des jambes interminables. Des formes... je ne te dis pas ! Et charmante, en plus.

Bon, là, ils ne pouvaient pas parler de l'acide Sydney, pensa Hugh, qui s'enquit en fronçant les sourcils :

— Ah bon, tu lui as parlé, Maurice ?

— Je l'ai rencontrée à la boulangerie.

— Je me disais bien que tu étais distrait, aujourd'hui, fit observer Doc. Rien ne nous obligeait à traîner autant. Pourquoi tu ne m'as pas dit qu'une demoiselle t'attendait à la maison, Hugh ?

— Tu m'as engagé pour un boulot, mon temps t'appartient, affirma Hugh avec un haussement d'épaules. Ça n'a pas d'importance de toute façon, elle savait que je devais partir.

— Tu aurais pu l'emmener, dit Doc. Il y avait la place.

— Je ne voulais pas, bon sang !

Les deux hommes parurent étonnés par cette réaction véhémente. Passant la main dans ses cheveux, Hugh expliqua :

— Elle… elle a eu une journée pénible, hier. Elle n'a pas beaucoup dormi.

Ses potes hochèrent la tête d'un air grave, en dissimulant mal leur envie de sourire. Hugh ne put s'empêcher de rougir. Oh ! bon sang ! Il ne rougissait jamais quand il était question de femmes ! Alors pourquoi en allait-il différemment avec celle-là ?

— Y'a pas de quoi en faire un plat, marmonna-t-il.

Doc lui jeta un long regard puis finit par hausser les épaules.

— Si tu le dis…

Puis il gagna le taxi de Maurice et logea le carton qu'il transportait dans le coffre.

— Tu peux y aller, maintenant, dit-il à Hugh. Tu en as assez fait. C'est pas ton boulot de décharger.

— Si.

— Pas du tout. Et ta nana t'attend.

— Oui. Elle a dû rentrer, maintenant, ajouta Maurice.

— Ah ! Parce qu'elle est partie ? s'enquit Hugh.

— Avec Amby, confirma Maurice. Il l'a emmenée dans son bateau, cet après-midi.

Amby Higgs dirigeait la compagnie d'hydravions-taxis qui emmenait les touristes à Spanish Wells — plus précisément dans l'île principale, où ils prenaient les avions en partance pour les Etats-Unis. Sydney avait donc repris ses esprits et était repartie chez son père !

« Ouf ! » pensa Hugh.

— Je crois que je vais traîner un peu et aller grignoter un truc chez The Grouper avant de rentrer, dit-il.

— C'est ça, l'encouragea Doc, hilare.

Lui et Maurice l'incitèrent du geste à s'éloigner.

Le cœur soudain plus léger, Hugh longea le quai, avec Belle sur ses talons.

— Sois sage ! lui cria Maurice.

Belle sauta à bord de la Jeep. Hugh l'imita et mit le contact. Il regarda autour de lui, avec le sentiment que quelque chose n'était pas comme d'habitude. Il lui fallut quelques secondes pour réaliser de qui il s'agissait : Lisa n'était pas là. Pour la première fois depuis des semaines et des semaines, Lisa Milligan n'était pas plantée sur le quai à guetter son arrivée, pour lui sourire, se pendre à son bras, lui dire qu'elle avait cuisiné ceci ou cela pour lui. Libre, il était libre ! Sa ruse avait marché !

S'il lui avait fait de la peine, c'était tout de même moins rude que s'il avait dû la repousser de façon plus directe et plus brutale. Pour parvenir à ce beau résultat, il lui avait suffi de supporter les piques de Sydney St John — et de *dormir* avec elle.

— Juteux, comme arrangement, non ? dit-il joyeusement à Belle en appuyant sur l'accélérateur.

Son bel optimisme ne dura toutefois que le temps d'arriver chez lui…

5.

Dès qu'il gara sa Jeep aux abords de la maison et mit pied à terre, il eut la sensation d'un changement. Dans les ténèbres de la nuit, tout semblait pareil, et pourtant…

Il haussa les épaules. Il lui arrivait parfois d'être un peu désorienté, de retour sur Terre après un vol… Ce soir, au moins, il serait tranquille. Il dînerait sans être ennuyé par Lisa puis il lirait ou regarderait un film ou alors, il prendrait un bain de minuit… Il attrapa la boîte du traiteur à l'arrière de la voiture, siffla la chienne, et contourna la maison.

Tiens, sa bicyclette n'était plus là ! Oh ! elle n'avait pas de place précise contre la rambarde de la véranda, mais il se souvenait de l'endroit où il l'avait appuyée, et elle n'y était plus. Molly, Marcus ou Tommy avaient dû l'emprunter…

Tout de même, il y avait un truc bizarre : il ne laissait pas d'empreintes sur le sable ! D'ailleurs… il n'y avait plus de sable ! Quelqu'un avait balayé l'allée dallée qui faisait le tour de la maison. Oui, pas de doute, son pied touchait le dallage. La dernière fois qu'il l'avait vu remontait à… à quand, déjà ? Au moment où il avait acheté la baraque, oui, ce devait être ça. Depuis, il s'était recouvert de sable, et quelle importance ? Il suffisait de franchir cinq marches pour être à la plage, alors…

En tout cas, c'était de là que venait sa sensation de changement. Quelqu'un avait nettoyé le sol. Et ça, ce ne pouvait être l'œuvre de

Tom ni de Marcus. Ni même de Lisa, puisqu'elle ne savait pas qu'il y avait une allée dallée, sous le sable.

La seule qui ait pu avoir une idée pareille, devait être Sydney St John ! Hugh rit à cette pensée. Satanée bonne femme ! Elle était toquée, quand même. Il avait fallu qu'elle balaie l'allée avant de lui emprunter sa bicyclette. Il était même prêt à parier qu'elle avait réparé la crevasse qu'elle avait faite dans le plâtre de la chambre ! « En tout cas, puisqu'elle a pris la bicyclette, elle est bel et bien partie », pensa-t-il, tout à fait ragaillardi.

Il franchit le perron en sifflotant puis s'arrêta net. La bicyclette n'était pas la seule chose qui avait disparu. Tout le reste s'était volatilisé aussi !

Enfin, pas tout. Le hamac se balançait encore sous la brise et la balançoire était en place mais il n'y avait plus ni livres, ni outils, ni vaisselle sale, ni magazines. Quoique… les magazines étaient bien là, mais soigneusement empilés sur une table d'appoint près de la balançoire. Une table dont il avait oublié l'existence, d'ailleurs… Et là-bas, plus loin, il y en avait une autre ; derrière, tous les éléments de moteur étaient soigneusement alignés. Pour un peu, il se serait cru de retour dans l'armée !

Figé sur place, Hugh considéra le spectacle. Il examina encore les lieux et constata avec une rage montante qu'il n'arrivait même pas à localiser sa combinaison de plongée, généralement suspendue à un cintre accroché à la plante verte.

A l'instant même où il allait exploser de rage, l'auteur de tout ce rangement intempestif poussa la porte battante du porche : miss Sydney St John en personne, arborant un sarong et… sourire aux lèvres !

Hugh eut un aperçu de ses « jambes interminables » — à en croire Maurice — et vit ondoyer ses « formes-je-ne-te-dis-pas » tandis qu'elle s'avançait vers lui.

— Ah ! vous voilà ! s'exclama-t-elle d'un air rayonnant. Tant mieux. Je commençais à croire qu'on devrait manger sans v…

— Où sont mes affaires, bordel ? s'exclama-t-il.

Sydney eut un geste ample du bras.

— C'est rangé.

— Rangé ? Nom d'un petit bonhomme ! Mais de quel droit y avez-vous touché ? Où est ma bicyclette ? Et ma planche de surf ? Ma combi de plongée ?

— En ordre, pour une fois, répliqua-t-elle.

— Ah ! Parce que vous appelez ça de l'ordre ?

Pour sa part, il s'attendait presque à voir les boutons de porte lui adresser le salut militaire !

— Du calme, dit-elle d'un ton apaisant. Je n'ai rien jeté.

Elle avança et se mit entre lui et la porte d'entrée. Aussitôt pris de soupçons, il la contourna et entra.

— Mais qu'avez-vous fait, bonté divine ? s'écria-t-il.

Jamais il n'avait rien vu d'aussi net et organisé. Même pas quand il était chez les scouts !

— J'ai nettoyé. Ça en avait grand besoin.

Elle le suivit à travers le séjour, jusqu'à la cuisine.

— Et qui vous l'a demandé ? cria-t-il, hors de lui. Je vous avais juste dit de faire la vaisselle !

— Elle est faite.

— Ouais. Et un tas d'autres choses avec, marmonna-t-il.

C'était effrayant. Elle avait même étiqueté les boîtes de denrées !

— Au moins, vous pourrez retrouver les choses, maintenant. Ce sera plus simple.

— C'était tout à fait simple avant ! brailla-t-il, réellement furieux, sans même savoir pourquoi. On ne vous a rien demandé, bon sang !

— Ce n'était pas la peine, rétorqua-t-elle, très « capitaine Achab ». J'ai vu ce qui avait besoin d'être accompli, et je l'ai fait. C'est la caractéristique d'un bon manager.

— Je n'ai nul besoin d'un manager, la Belle !

— C'est drôle, mais j'ai exactement l'impression contraire !

Il fourra ses poings dans les poches de son short et la foudroya d'un regard assassin dont elle ne parut même pas s'apercevoir. Elle continua à le regarder en souriant, calme et compétente, et belle à damner tous les saints dans ce sarong vert et bleu qui s'harmonisait avec son regard et dénudait joliment son épaule. La veille, au moins, sa peau avait viré à la couleur écrevisse. Maintenant, elle était dorée, satinée, délectable. Sydney St John était éblouissante. Follement désirable.

Seulement, Hugh ne voulait pas éprouver de désir pour elle ! Il avait une énorme envie de l'étrangler !

— Où sont mes vêtements ? demanda-t-il sans aménité.

— Devinez, répondit-elle, doucement ironique.

Puis, tournant les talons, elle se dirigea vers la chambre où il la suivit.

— Ils sont rangés, dit-elle en ouvrant les tiroirs de la commode et la porte de l'armoire. Stupéfiant, n'est-ce pas ? Le linge propre est là, le sale dans le panier.

Elle désigna d'un mouvement du menton un panier en osier logé dans un angle. Contrairement à tout le reste, il était bien certain de ne l'avoir jamais vu !

— D'où sort ce truc ?

— Je l'ai acheté chez Straw Shoppe.

— Qui vous l'a demandé ? Personne !

— Considérez ça comme un cadeau.

— Vous n'avez pas d'argent.

— J'en aurai. J'ai un job.

— Quoi ?

— Je vous avais bien dit que j'étais bonne pour un emploi, lui dit-elle en souriant jusqu'aux oreilles.

— Qui vous a engagée ? s'enquit Hugh, bien résolu à rouer de coups l'impudent.

Au lieu de répondre, Sydney se contenta de sourire et fit demi-tour pour aller dans la cuisine.

— Il faut que je finisse de préparer le dîner.

« Le dîner ? » pensa-t-il en lui emboîtant le pas et en s'avisant que le couvert était mis. Nom d'une pipe ! Il y avait même une nappe ! Et des assiettes pour cinq !

— Qu'est-ce que c'est que ça ? ronchonna-t-il. Qu'est-ce que vous avez encore fait ?

72

— J'ai invité Molly, Lachlan et Fiona à dîner avec nous.

— Molly ? Ma sœur ? Et Lachlan et Fiona ? Mais vous ne les connaissez pas ! s'écria-t-il, stupéfait.

Puis, se ravisant, il ajouta d'un ton circonspect :

— Ou alors... si ?

Il venait de se rappeler que son frère connaissait pratiquement toutes les beautés de la jet-set... ou d'ailleurs. Si Lachlan avait eu, avant son mariage, un goût prononcé pour les ravissantes idiotes, les princesses et les groupies de *soccer* plutôt que pour les « femmes d'affaires », il n'aurait certes pas dit on à une fille telle que Sydney St John !

— J'ai fait leur connaissance aujourd'hui, avoua Sydney. Cet après-midi, en fait.

— J'avais dit à Molly de garder ses distances.

— Elle ne me l'a pas caché. Et elle s'est montrée très aimable ; je me demande bien pourquoi, d'ailleurs.

— Elle sait se tenir, marmonna Hugh.

— Je l'ai rencontrée en allant en ville. Je me suis arrêtée pour admirer Le Roi de la Plage, poursuivit Sydney, s'animant au souvenir amusant de la sculpture de Fiona. Molly est sortie en me voyant, et s'est présentée.

— Pourquoi l'avez-vous invitée ?

— En fait, elle m'a retenue à déjeuner, lorsque je suis revenue de la ville. Elle m'avait demandé de rapporter des sandwichs. Nous avons parlé de l'île, de la sculpture, de Fiona et de Lachlan. Elle m'a dit que Le Roi de la Plage les a rapprochés alors qu'ils se battaient froid depuis des années. Il paraît que Fiona l'a suivi en Italie et...

— Bonté divine ! explosa Hugh.

Depuis quand son garçon manqué de sœur était-elle devenue une commère ?

— Y a-t-il quelque chose qu'elle vous ait caché ?

— Votre deuxième prénom, répondit Sydney.

Il ne réalisa pas tout de suite qu'elle plaisantait. Finalement, il grommela :

— Je ne la paie pas pour se rouler les pouces pendant des heures !

— Si j'ai bien compris, vous ne la payez pas du tout. D'ailleurs, elle a travaillé. Et moi avec. Nous avons fait vos factures.

— Pardon ? Les factures de Fly Guy ? Mais qui vous a permis d…

— Molly. Elle était ravie. Elle a prétendu qu'elle n'avait pas le temps de s'en charger et qu'il fallait que ce soit fait. Elle déteste faire ça, et vous aussi.

— C'est faux !

— Disons que vous tardez à vous offrir ce plaisir, alors, répliqua Sydney. Moi, j'aime ça. J'adore aligner des chiffres. Mettre les choses en ordre.

Réduit au silence, il la dévisagea. Une chose était sûre : sa vie n'était plus en ordre, contrairement à ce qu'elle s'imaginait : elle l'avait propulsée hors de son orbite ordinaire !

— Ça n'a rien de compliqué, ajouta-t-elle. Alors, j'ai commencé à mettre quelque chose sur pied. Je n'ai pas pu y travailler plus de deux heures, malheureusement. Il a fallu que j'aille en ville acheter de l'enduit.

De plus en plus interdit, il continua à la dévisager puis alla jeter un coup d'œil dans la chambre : de l'enduit encore frais obturait la crevasse qu'elle avait faite dans son cauchemar.

— J'espère que ça ira ; je n'avais jamais fait ça avant, reprit-elle à son retour. Sinon, Lachlan connaît quelqu'un qui pourra réparer les dégâts.

— Ah ! Parce que Lachlan est mêlé à ça ?

— Il est passé pendant que je mettais au point le programme comptable.

— Je n'ai aucun besoin de votre fichu programme ! C'est très bien comme c'est !

— C'est faux, décréta-t-elle. C'est le chaos intégral. Et je ne suis pas la seule à le penser. Un certain Tom Wilson a téléphoné, d'un endroit appelé The Lodge, pour demander une facture qu'il n'a jamais

reçue. Et aussi un type Anglais très distingué, lord Machin-Chose…
Grant Wood ? Non, c'est le peintre, ça.

— David Grantham, dit Hugh avec un lourd soupir.

— Oui, c'est ce nom-là ! Il voulait que vous l'emmeniez à Miami
dans quelques jours, et il voudrait organiser une excursion en hydravion. Mais il paraît qu'il n'a pas encore reçu la facture de sa dernière
sortie avec vous.

— Il l'aura, grommela Hugh. J'ai été débordé.

— C'est ce que je leur ai expliqué. Je leur ai dit que vous aviez
bien assez à faire avec le pilotage et que vous ne pouviez pas traiter
la comptabilité en même temps. Mais que ça venait de changer.

— Comment ça ?

— Vous avez engagé une comptable.

— Jamais de la vie ! Il n'en est pas question !

— Allons, McGillivray, admettez qu'il vous en faut une. Molly
en a besoin, en tout cas, elle ne peut pas tout faire toute seule.

— J'ai dit pas question ! Je ne vous ai pas engagée !

— Rien ne vous y force. Je l'ai fait par courtoisie.

— Pourquoi ? Vous voulez que je vous emmène à Miami, en
échange ? Eh bien, allons-y !

— Ça n'a rien à voir. C'est parce que vous m'avez sauvée. Je vous
suis redevable. Et je n'attends aucun paiement en retour, dit-elle avec
une gravité intense. Je le fais pour rien. Pour vous revaloir ce que
vous avez fait.

— Je n'ai ni besoin ni envie que vous me rendiez quoi que ce
soit !

— Mais moi, j'y tiens. Vous m'avez sauvé la vie !

— Grossière erreur de ma part, marmonna Hugh en faisant les
cent pas.

Avant même qu'il ait pu aligner un nouvel argument, Molly, Fiona
et Lachlan débarquèrent.

— Ouaou ! s'exclama Lachlan en regardant autour de lui. Je ne
savais pas que tu avais une cuisine, Hugh, dis donc !

— Ha, ha ! Très drôle.

— C'est cosy, hein ? commenta Molly. C'est fou le résultat qu'on obtient avec un peu de ménage. Surprenant.

Fiona alla se planter sous le porche et considéra les pièces de moteur.

— Vous avez vu ça ? On croirait presque une de mes sculptures. Du rebut rudement bien rangé.

— C'est pas du rebut ! répondit Hugh d'un ton qui ne promettait rien de bon.

Fiona lui adressa un large sourire.

— Tout est dans le point de vue de celui qui regarde ! Pas vrai, Lachlan ? acheva-t-elle en se tournant vers son mari.

Celui-ci acquiesça.

— Tu as bossé dur, dit-il à Sydney. Tout ça, et la boutique en plus !

— Quoi, la boutique ? demanda Hugh.

— J'ai juste remisé les vieux trucs dans le débarras, précisa Sydney.

— Oui, on réorganise tout, renchérit Molly. Il y a bien trop de machins qui traînent. Je n'arrive jamais à trouver du premier coup ce dont j'ai besoin.

— En tout cas, tu as ce qu'il faut sous la main, fit observer Hugh. Si tu les vires…

— On ne les vire pas, c'est Fiona qui va les utiliser pour ses sculptures, annonça Molly. Une idée de Sydney. Et si j'ai besoin d'un truc, Fiona me le rendra. Cool, non ?

— Hé ! ho ! s'exclama Hugh. Tu veux utiliser des pièces de moteur pour tes sculptures ? Non mais ça va pas, la tête ?

— Fiona, tu pourras les prélever en cas de besoin, non ? demanda Molly à sa belle-sœur, qui opina.

Hugh tenta encore de protester, mais ils parlaient tous en même temps ; le seul commentaire personnel auquel il eut droit fut celui de Lachlan :

— Dis donc, tu as un sacré coquard !

— Oh ! Euh… je me suis cogné dans une porte.

— Ah bon ? Sydney a dit que c'était le mur, dit son frère avec un large sourire. Bon, quand est-ce qu'on mange ? J'ai apporté du homard.

Là-dessus, ils se mirent tous à s'activer, prenant possession de SA cuisine, tandis qu'il les regardait faire avec l'impression d'être en visite chez lui.

— Qu'est-ce que c'est ? demanda Molly en désignant le carton qu'il tenait encore à la main.

— Oh ça ? Mon dîner. Je ne pensais pas qu'on festoierait, ce soir.

— On n'a pas jugé bon de te poser la question. J'ai dit à Sydney que tu étais toujours partant pour faire la fête.

— Ne t'inquiète pas, on rentrera tôt, souligna Molly.

— Hein ? C'est-à-dire ?

Lachlan jeta un regard aigu à Hugh et déclara :

— Serais-tu encore plus stupide que je le croyais ?

Fiona décocha un coup de coude à son mari, lui chuchotant :

— Laisse-le aller à son allure. Au moins, il y va.

— Y va ? Où ça ? dit Hugh, totalement dépassé.

— Il est complètement largué, soupira Lachlan.

— Mais tais-toi donc ! insista sa femme.

— On mange, oui ou non ? intervint Molly.

Ils savourèrent le homard, une salade à l'ananas, divers accompagnements, et conclurent par la tarte au citron que Fiona avait rapportée de la boulangerie. Ils burent de la bière, rirent et bavardèrent, et Sydney St John fut incluse dans tout cela avec le plus grand naturel.

« En une seule journée », pensa Hugh, elle avait charmé tout le monde.

Elle connaissait déjà tout des affaires hôtelières de Lachlan et du travail de sculpteur de Fiona. Elle avait parlé à Maurice et à Amby, à Sara à The Straw Shoppe et à Erika à la boutique. Elle savait qu'ils cherchaient à trouver des fonds pour la bibliothèque et que la paroisse avait ouvert un atelier de quilt. Elle avait discuté avec David Grantham de ses excursions culturelles, avec Lachlan de ses efforts pour développer le tourisme. Elle était même au courant du fait que

Doc Rasmussen cherchait à faire construire une nouvelle clinique et qu'on avait lancé une collecte pour renouveler les uniformes de *soccer* des Pélicans !

Par-dessus le marché, elle avait des suggestions pour tout. Dans certains cas, elle voyait beaucoup trop grand, mais elle avait de bonnes idées. Si elle n'avait pas cherché à tout régenter — réorganisant sa maison, sa boutique et même sa vie ! —, Hugh aurait été impressionné.

Les choses étant ce qu'elles étaient, il joua l'indifférence. Si intelligente, si futée, si organisée (hélas !) et si *belle* que fût Sydney St John, eh bien… elle ne l'intéressait pas ! Elle n'était pas du tout son genre de femme. C'était une Lisa multipliée par dix. Une « épouse » en puissance et, quoi qu'elle pût penser, elle ne resterait pas à Pelican Cay.

« C'est une arpenteuse du monde » affirmait-on d'elle dans l'un des magazines qu'il avait lus, et il en était convaincu. Il souhaitait seulement qu'elle se dépêche de choisir une nouvelle destination et était même plus que décidé à la reconduire, dès le lendemain matin, à Miami ou à Nassau. Voire au pôle Nord !

—… pas vrai, Hugh ?

Il revint au présent en réalisant que Fiona venait de lui poser une question. Ils se trouvaient à présent sous la véranda, dans la pénombre qu'éclairaient à peine les flamants roses et les vahinés illuminés.

— Désolé, j'étais distrait.

— Je m'en doute, dit sa belle-sœur avec un large sourire. Tu dois avoir hâte qu'on s'en aille.

Elle se leva et, dans le doux halo des lumières, il distingua le renflement de son ventre de femme enceinte.

— J'ai dit que la maison était super, comme ça. Elle a pris de l'allure, elle est accueillante. Sydney a fait du beau travail, tu ne trouves pas ?

— Mmm…

— Il regrette encore ses vieilles dynamos et les balles de tennis toutes mâchouillées de Belle, dit Lachlan.

— Il s'en remettra, assura Fiona en décochant à Hugh un sourire approbateur. Je suis si contente ! Je craignais que tu ne vives éternellement en Never-Land.

Never Land ? L'île extravagante et infantile du petit bonhomme vert sachant voler ? Piqué au vif, Hugh se redressa sur son transat. Non mais ! Elle le prenait pour Peter Pan parce qu'il ne pliait pas son linge et ne se rasait pas tous les jours ?

— Il y a un sacré progrès, c'est sûr ! commenta Molly en se levant à son tour sans lui laisser le temps de réagir. Et tu n'as pas dit un mot, espèce de cachottier ! Je n'aurais jamais cru que tu… Je veux dire, pas après Car…

Elle s'interrompit brusquement en se mordant la lèvre.

— Bon, il est temps que j'y aille, décréta-t-elle.

Hugh la retint par le bras.

— Tu disais ? demanda-t-il avec vivacité.

— Rien, assura-t-elle en se dégageant. Désolée. Je… En fait, tu peux faire ce que tu veux, Hugh. Même si jamais de la vie tu ne te mari…

Elle s'interrompit de nouveau, consciente de s'enferrer.

— Oui ? insista Hugh. Qu'est-ce que je suis libre de ne pas faire de toute ma vie si ça me chante ?

— Rien, rien du tout.

Molly prit la bouteille vide sur la table basse et s'empressa de l'emporter dans la cuisine. Fiona et Sydney la suivirent, les mains chargées de verres et d'autres bouteilles. Resté seul avec Hugh, Lachlan s'étira puis il déclara d'un ton approbateur, en souriant jusqu'aux oreilles :

— Cette fille, c'est de la dynamite. Bien joué.

— Elle n'est pas…

— Comme les autres, interrompit Lachlan. Dieu merci !

Fiona et Molly reparurent, puis Sydney. Dans les embrassades générales, Sydney déclara :

— Je suis contente que vous soyez venus.

— Nous aussi, lui assura Lachlan en lui faisant une bise. A demain.

— Demain ? ironisa Hugh.

— Pas trop tôt, spécifia son frère. Et uniquement pour affaires. Je veux me servir de sa matière grise.

— Oh !

Molly éclata de rire.

— J'adore quand tu deviens possessif, Hugh !

Puis elle le surprit en l'étreignant avec ferveur.

— Je suis heureuse, lui murmura-t-elle d'un ton farouche. Tu mérites une fille géniale. Profites-en.

Alors que le trio se fondait dans la nuit, Hugh les suivit du regard, vaguement hébété, réalisant sans enthousiasme la nature et le sens de leurs allusions. Enfer et damnation !

La présence de Sydney chez lui était uniquement destinée à convaincre Lisa Milligan qu'il s'intéressait à une autre qu'elle. Sûrement pas à persuader sa famille qu'il était amoureux !

Et puis quoi ! Ils n'avaient pas besoin de se réjouir comme s'il venait d'échapper à un enfer de désespoir et de solitude, bon sang !

Etait-ce donc ce qu'ils avaient pensé, depuis que Carin avait épousé Nathan Wolfe ? S'imaginaient-ils qu'il avait passé deux ans à se languir, malheureux et délaissé ? Qu'il négligeait de se raser ou de faire la vaisselle parce que la seule femme qu'il eût aimée en avait épousé un autre ?

Bonté divine ! Que pouvait-il faire pour les détromper ?

La soirée s'était très bien passée, beaucoup mieux que Sydney ne l'avait escompté.

Bien entendu, elle n'avait pas douté un instant de pouvoir être une bonne hôtesse, même dans cet environnement peu familier. Organiser des fiestas, des dîners, des soirées, que ce soit pour quelques intimes ou pour cinq cents personnes, elle connaissait ça depuis toujours ! Et elle savait aussi entretenir une conversation, se montrer drôle, aimable, et même brillante. Elle savait mettre ses hôtes à l'aise.

Cela dit elle avait échoué sur ce point, en ce qui concernait le propriétaire des lieux ! Du moins McGillivray s'était-il comporté correctement. Elle avait redouté le contraire, après avoir subi ses sarcasmes, ses protestations et ses critiques au sujet de tout ce qu'elle avait accompli dans la maison.

Cependant, au lieu de poursuivre dans cette veine à l'arrivée des siens, il était devenu plus renfermé et silencieux qu'elle ne l'en aurait cru capable. Une fois passé le choc initial, il avait taquiné sa sœur, sa belle-sœur, et « ferraillé » avec son frère. Tous trois lui avaient rendu la politesse.

Sydney les avait observés et écoutés avec fascination et envie. Il transparaissait tant d'affection et d'intime complicité, sous ces plaisanteries !

Elle avait toujours désiré des frères et sœurs, et espéré — parfois même suggéré — que son père se remarierait, après la mort de sa mère. Cela n'avait jamais été à l'ordre du jour. Son père n'avait jamais envisagé de se remarier, ni même d'avoir une liaison un tant soit peu sérieuse. Il n'en avait ni le temps ni l'envie, avait-il soutenu, effaré par sa suggestion.

— Je n'ai besoin de personne, je t'ai, Margaret, avait-il dit.

Certes, il avait une fille, et cela lui suffisait. Sydney, en revanche, avait toujours ressenti un manque que cette soirée avec les McGillivray venait de raviver.

Elle désirait ce qu'ils avaient et était un peu surprise d'avoir été si vite et si chaleureusement acceptée.

Alors qu'elle fnissait la vaisselle et que McGillivray, planté devant la fenêtre, avait le regard perdu dans les ténèbres, elle lui dit :

— Vous avez une famille formidable.

Comme il ne disait rien, elle ajouta :

— J'ai passé une très bonne soirée.

Pas de réaction.

— Ce silence, c'est votre façon de dire que vous n'avez pas passé une bonne soirée ? demanda-t-elle d'un ton qui se voulait léger.

Il haussa les épaules, sans se retourner.

— C'était bien, dit-il d'une voix atone.

Où étaient passés son esprit caustique, son sens du sarcasme, sa morgue bravache ? Sydney s'avança, afin de distinguer son reflet dans la vitre. Il avait une mine épouvantable !

— Qu'est-ce qui ne va pas ? s'enquit-elle.

— Rien, répondit-il en lui décochant un regard mauvais.

— Et c'est pour ça que vous m'agressez ?

Hugh serra les mâchoires, puis fit un effort visible pour se détendre.

— Cela n'a rien à voir avec vous, marmonna-t-il d'un ton qui n'engageait guère à poursuivre la conversation.

S'étant sentie acceptée pendant toute la soirée, Sydney n'était pas disposée à renoncer aisément à cette sensation agréable. Elle insista :

— De quoi s'agit-il, alors ?

— Et si je vous disais de vous mêler de vos affaires ?

— Je refuserais.

— C'est ça, le fameux style professionnel de Margaret St John ?

Elle eut un haut-le-corps.

— Je croyais que vous ignoriez qui je suis.

— J'ai pris des renseignements.

— Où ça ?

— J'ai feuilleté un magazine ou deux en attendant Doc, aujourd'hui.

— Je vois. Donc, vous savez que je suis bonne dans ma partie. Et ça vous pose problème ?

— Evidemment pas ! Pourquoi cela en poserait-il ? Vous pouvez agir à votre guise. Pour ce que j'en ai à fiche !

— Alors, qu'est-ce qu'il y a ? insista-t-elle, réellement étonnée.

McGillivray la regarda en fronçant les sourcils.

— Vous les avez vus ? Vous les avez entendus ? Ils sont fous de joie.

— Qui ? Molly, Lachlan et Fiona, vous voulez dire ? Et qu'y a-t-il de mal à ça ?

— Rien. Tout ! C'est ce qui les rend joyeux qui ne va pas ! explosa-t-il, l'air sincèrement angoissé.

— Mais… qu'est-ce qui les rend joyeux ?

— Vous. Et… moi. Ils sont au septième ciel. Ravis de nous savoir… ensemble !

— Oui. Et alors ?

— C'est tout ce que vous trouvez à dire ?

— Je croyais que vous vouliez me faire passer pour votre petite amie. C'est bien ce que vous cherchiez, non ?

— Auprès de Lisa. Pas d'eux !

— C'est une île, ici. Et une toute petite, encore. Tout le monde croit que je suis votre petite amie. Maurice. Amby. Erica… et les autres.

— Bonté divine ! Lisa a dû claironner ça sur tous les toits !

— Je n'en serais pas autrement étonnée. Dès que les gens apprenaient mon nom, ils semblaient me situer sans problème. Cela dit, vous ne pouvez pas rendre Lisa seule responsable. Molly m'a appris que vous lui avez dit la même chose.

— Des clous !

— Vous n'avez peut-être pas été aussi affirmatif, mais vous deviez bien vous douter qu'elle tirerait des conclusions hâtives.

Hugh bougonna et se mit à faire les cent pas en lâchant des jurons étouffés. Sydney le regarda s'agiter en réfléchissant, essayant de comprendre pourquoi il réagissait si vivement. Finalement, elle demanda :

— C'est à cause de Carin ?

Il fit volte-face et la transperça du regard :

— Que savez-vous de Carin ?

— Pas grand-chose, répondit-elle tranquillement, cherchant à l'apaiser. Molly l'a mentionnée en passant… et vous avec.

— Qu'elle aille au diable ! Je ne lui en ai jamais parlé ! Elle n'a jamais rien su !

— C'est votre sœur ! Elle n'est ni sotte ni aveugle. Visiblement, elle vous connaît suffisamment pour avoir deviné toute seule.

Il lui décocha un regard assombri puis, se laissant tomber dans un fauteuil, laissa son regard errer dans le vague. Sydney attendit un instant, ne sachant trop que dire ou comment réagir. Elle finit par s'en retourner à sa vaisselle, qu'elle acheva, puis elle revint vers l'endroit où il se tenait toujours assis.

Il l'observa, passa une main dans ses cheveux d'un air désemparé, puis enfouit son visage entre ses mains.

— Qu'est-ce que je vais faire, maintenant, hein ?

— Au sujet de… Carin ?

— Mais non, bon sang ! C'est du passé, c'est fini ! Ça n'a jamais vraiment existé, d'ailleurs ! Nous sommes amis, dit-il avec un accent ironique sur ce dernier mot. Nous avons toujours été amis, point. Comme un idiot, j'ai laissé passer ma chance. Je croyais qu'elle ferait le premier pas.

— Molly dit… eh bien, elle dit que Nathan est le père de son enfant.

— Et alors ? J'aimais Lacey comme si elle était ma propre fille.

— Je n'en doute pas. Mais peut-être que Carin n'a jamais cessé d'aimer Nathan.

McGillivray se renversa en arrière et appuya la tête contre le dossier du fauteuil en fermant les yeux. Au bout d'un moment il les rouvrit et regarda Sydney en face.

— C'est le cas.

— Désolée.

Il eut recours à sa désinvolture habituelle, dont elle commençait à entrevoir le caractère orgueilleux, délibéré.

— Pas de quoi en faire un drame. Carin est mariée, heureuse, et je l'ai accepté.

« Est-ce bien sûr ? » songea Sydney.

— La question est de savoir ce que je vais bien pouvoir faire à cause des suppositions de ma famille ! reprit-il avec son irascibilité coutumière. Ils s'imaginent quoi ? Que j'ai une liaison ? Que je suis amoureux ?

Il semblait considérer ça comme une maladie ; et mortelle, de surcroît !

— Ne faites rien du tout, rétorqua-t-elle, irritée à son tour et agacée par sa propre réaction. Pourquoi faudrait-il que vous réagissiez ? Laissez-les croire ce qu'ils voudront.

— Mais vous devrez rester quelque temps !

— Et alors ?

En le voyant grimacer, elle eut un élan de rébellion :

— Vous ne me trouviez pas si repoussante que ça, hier !

— Mais je n'ai rien tenté non plus.

« Que veut-il dire par là ? Qu'il va passer à l'action maintenant ? » se demanda-t-elle en sentant un frisson la parcourir. Elle s'efforça cependant de rester maîtresse d'elle-même.

— Je ne vous épouserai pas, déclara-t-il péremptoire.

— Ma parole, c'est une vraie idée fixe, chez vous ! Non mais, vous me voyez en train de vous traîner à l'autel ?

— Je veux que les choses soient claires, s'obstina-t-il. Si vous restez quelque temps, je tiens à ce que vous connaissiez ma position.

— Inutile de me faire un dessin, j'avais compris ! répliqua-t-elle d'un ton glacial.

— Tant mieux. Quand nous les aurons convaincus que je ne languis pas après Carin, nous romprons et vous pourrez vous en aller.

— Nous romprons tant que vous voudrez, mais je ne m'en irai pas.

— Oh si ! vous vous en irez !

— Je peux rester si je veux. Nous pouvons…

— Non, interrompit-il en se mettant debout, soudain farouche et impressionnant. Tous les deux ici, ce n'est pas possible. L'île est trop petite. Vous l'avez constaté par vous-même. Tout le monde est au courant de tout. Ici, on ne peut pas reconduire un mensonge plus de quinze jours.

— Mais…

— C'est le maximum qu'on pourra tenir. Ensuite, terminé. Nous rompons. Vous partez.

— Je peux…

— Vous ne pouvez rien du tout. De toute façon, vous ne resterez pas. Vous êtes une « arpenteuse du monde », comme ils disent dans les journaux. Votre seul but, c'est une revanche sur Roland Machin-Chose.

Sydney aurait eu bien des choses à dire, mais à quoi bon ? Elle voulait faire payer Roland, en effet, mais son ambition allait plus loin ! Elle désirait se trouver elle-même, se mettre à l'épreuve des faits, ainsi qu'elle l'avait dit la veille. Et ce qu'elle avait découvert sur Pelican Cay renforçait sa détermination.

Elle aimait cette île superbe cernée d'eaux turquoise, avec ses routes étroites, ses trottoirs de bois sur pilotis et ses constructions alternant bois et stuc. Elle aimait sa population amicale.

De plus, tout le monde connaissait McGillivray et de toute évidence, tout le monde l'aimait. Tous ceux qu'elle avait rencontrés l'avaient laissé transparaître. Même la vieille miss Saffron. Ce que chacun lui avait dit pouvait se traduire ainsi : « Vous êtes la petite amie de Hugh McGillivray ? C'est un type bien. Il mérite qu'on soit chic avec lui. Aimez-le comme il convient. »

Cela modifiait son opinion au sujet de Hugh et lui donnait le désir d'être aussi aimée et estimée que lui.

— Ecoutez… commença-t-elle.

— Quand ce sera fini, vous vous en irez, répéta-t-il en plantant son impitoyable regard bleu dans le sien.

— Je partirai le moment venu.

— Ce qui signifie ?

— Que nous saurons reconnaître le moment opportun, dit-elle, volontairement vague.

McGillivray parut sur le point de discuter mais se tut. Il finit par pousser un soupir prolongé et le silence s'installa tandis qu'ils se dévisageaient.

De nouveau, un courant électrique passa entre eux, et Sydney n'en fut pas aussi surprise que la première fois. Ce qui l'étonna, fut de percevoir quelque chose d'autre, quelque chose d'encore plus profond, de plus envoûtant.

Elle se remémora soudain ce qu'elle avait ressenti au creux du lit, allongée contre lui, et se demanda s'il pensait lui à la même chose…

— Puisque vous avez transformé cette maison en « Relais et Château », dit-il soudain d'un ton sec, j'espère que vous en avez profité pour vous installer dans l'ancien débarras.

6.

Sydney se trouvait dans la chambre ex-débarras et Hugh avait récupéré la sienne mais sa colocataire forcée ne cessait de s'immiscer dans ses pensées...

Il s'agitait, se tournant et se retournant dans son lit au lieu de dormir. Il ne pensait pas seulement à elle, d'ailleurs. Bien d'autres thèmes le tourmentaient : la vie en général, son but, son sens... toutes choses dont il avait toujours prétendu se soucier comme d'une guigne. Il avait « travaillé » dur pour édifier son image de tombeur insouciant !

Dans une famille où il n'était que le cadet d'un frère aîné qui affirmait son goût de l'excellence, il s'était échiné à faire tout le contraire de Lachlan : à afficher de la désinvolture, de l'insouciance, à proclamer qu'en dehors d'une bonne bière et d'une sieste au soleil, rien ne comptait dans la vie.

Ça, c'était l'apparence. Au fond de lui, Hugh n'avait pas moins de projets que son frère. D'abord, il avait décidé de trouver un travail qui le ramènerait à Pelican Cay et il l'avait fait. Il avait déniché ce qui était susceptible de marcher, et s'était donné la compétence nécessaire pour que ça paie. Si les gens le prenaient pour un désœuvré parce que ce travail-là ressemblait à de l'amusement, eh bien, tant pis. Il adorait s'amuser, d'ailleurs...

Quand il avait acheté sa maison, c'était avec un but en tête. Si elle était effectivement dotée des atouts « touristiques » que lui avait vantés Constance, de l'agence immobilière, il la voyait d'abord comme un futur foyer.

Hugh avait toujours désiré fonder une famille. Lachlan était attiré par la vie de la jet-set et Molly était une solitaire avide d'explorer le monde. Pour sa part, même s'il aimait voler et découvrir de nouveaux endroits, il aimait plus encore revenir au pays, à la maison. Lorsqu'il avait fait la connaissance de Carin et de sa fille, Lacey, il avait cru que la famille dont il rêvait comptait déjà un enfant… c'était aussi simple que ça.

Il avait su dès le départ que Carin était une femme blessée, à ménager. « Elle n'a nul besoin de souffrir encore », lui avait dit Maurice, qui connaissait son histoire. Hugh avait pris grand soin de ne pas lui faire de mal. Il s'était comporté en ami, et avait apprécié leur amitié — qui durait toujours, d'ailleurs. Toutefois, il désirait plus que ça ; il avait espéré que Carin lui rendrait un jour les sentiments qu'il lui dissimulait pour ne pas l'effrayer. Le moment venu, pensait-il, elle saurait voir qu'il l'aimait et déciderait d'aller de l'avant. Jamais, au grand jamais, il n'aurait imaginé que Nathan referait surface pour la séduire de nouveau ! C'était pourtant ce qui était arrivé…

« L'ennui, se dit Hugh pour la première fois depuis deux ans, c'est que je désire encore la même chose : une épouse, un foyer, des enfants. »

Cela faisait maintenant deux ans qu'il jouait les tombeurs, et il n'avait mis que récemment un frein à sa soif de conquêtes, à cause de Lisa. Il s'était convaincu qu'il cherchait à lui opposer une rebuffade définitive pour recouvrer la liberté de courir les filles mais c'était faux ! En fait, il désirait la même chose qu'elle : fonder un foyer. Oui, mais avec qui ?

Une fois de plus, la vision de Sydney St John se présenta à son esprit et il secoua la tête. Elle était superbe, et il y avait indubitablement des étincelles entre eux. Cela dit, il avait ressenti la même chose avec Carin, et Dieu sait qu'elle ne lui avait guère rendu ses sentiments !

Alors, quelles étaient ses chances auprès d'une fille comme Sydney ? Nulles. Elle ne resterait pas à Pelican Cay, il n'en doutait pas. Un jour ou l'autre, elle s'envolerait vers d'autres cieux, d'autres terrains d'action…

Elle était là pour une quinzaine tout au plus. Ça l'aiderait à convaincre sa famille qu'il avait dépassé sa mésaventure avec Carin et qu'il menait sa vie à sa guise.

Sydney serait déjà partie à ce moment-là, et un beau jour il apprendrait son mariage par les journaux. Car il était convaincu qu'elle se marierait et fonderait une famille. Il l'avait entendue parler avec Fiona, un peu envieusement, du bébé qu'elle attendait.

— Ça doit être extraordinaire d'attendre un enfant, lui avait-elle dit.

Fiona, qui était très pragmatique, avait répliqué :

— A condition d'aimer les nausées matinales et se sentir rétamée dès 2 heures de l'après-midi.

En disant cela, elle avait échangé avec son mari un sourire complice, et Sydney ne s'était pas laissée décourager.

— Je suis sûre que l'expérience en vaut la peine, avait-elle dit.

Fiona s'était exclamée :

— Oh oui !

Donc, un de ces jours, Sydney serait mère. D'un futur petit P.-D.G. prêt à suivre ses traces et celles de son père. Car, si elle ne voulait pas de Roland Truc-Bidule, elle épouserait un autre homme d'affaires, un type qui l'emballerait et correspondrait à son style de vie. Certainement pas un pilote vivant dans un trou perdu, comme lui.

Il continua à se retourner dans son lit, guettant le signe d'un nouveau cauchemar dans la chambre voisine ; il ne perçut que le murmure des vagues, le ronronnement du ventilateur et le souffle régulier de Belle.

Au moment où il allait enfin sombrer dans le sommeil, il s'aperçut qu'il ignorait toujours quel travail elle avait déniché. Il faillit se lever pour aller le lui demander, mais sut se retenir. Demain, il serait bien temps de la questionner.

Or, quand il se leva, elle était partie.

— Où étiez-vous, bon sang ? Qu'est-ce qui vous a pris d'aller vous baigner toute seule ?

Sydney regarda McGillivray, qui lui barrait le chemin sur l'allée dallée menant à la maison. Décoiffé, mal rasé, habillé à la va-vite d'un simple short, il était si délicieusement beau et viril qu'elle sentit son pouls s'accélérer.

— Bonjour à vous aussi, répondit-elle avec un sourire radieux.

— Vous ne devez pas nager seule, grommela-t-il d'un air buté.

— Alors, accompagnez-moi demain. C'est génial. L'eau est tiède, un vrai bonheur. Bon, vous vous écartez pour me laisser passer, ou on va rester comme ça jusqu'au réveillon ?

Il s'écarta à contrecœur et elle passa devant lui. Elle aurait aimé avoir le courage de toucher son torse musclé et de déposer un baiser sur ses lèvres. Chaque fois qu'elle le voyait, cette excitation si particulière, si sensuelle, si intime, qui l'avait saisie en sa présence dès le premier jour revenait. Et ça ne semblait pas diminuer en intensité, bien au contraire !

— Vous ne nagez jamais, le matin ? demanda-t-elle en se retournant vers lui.

— Quelquefois, dit-il en la suivant, mais sans la rejoindre.

— Seul ? s'enquit-elle malicieusement en riant de le voir froncer les sourcils. Moi, je suis tombée sur des joueurs de *soccer* et ces gosses sont venus nager avec moi. Ils m'ont appris qu'il y a à l'épave d'un très vieux bateau, au-delà du récif. C'est fascinant.

— Il a fait naufrage voici trois cents ans, pendant une tempête. Il il n'a pu trouver le chenal de passage et s'est fracassé contre la falaise.

— Vous l'avez déjà vu ? questionna-t-elle en s'arrêtant sur le porche pour le regarder venir.

— Bien sûr, comme tout le monde.

— Moi, je n'ai jamais vu un vaisseau naufragé. Le récif n'est pas si loin, ajouta-t-elle rêveusement.

— Trop loin pour être rejoint à la nage, déclara sèchement McGillivray. Et beaucoup trop dangereux.

— Dangereux ? Mais pourquoi ?

— Auriez-vous oublié nos amis les requins ? dit-il avec un large sourire.

— Mais puisque vous dites que tout le monde l'a vue, cette épave !

— Les gens y vont en bateau. Et jamais seuls.

— Dans ce cas, Tommy et Lorenzo pourront peut-être m'y emmener. Ce sont deux des joueurs de *soccer*, précisa-t-elle.

— Je sais très bien qui ils sont. Tommy est le neveu de Fiona.

— Ah oui ! C'est juste, j'oublie tout le temps. Petite île : tout le monde se connaît.

Se sentant un peu ridicule, elle se détourna pour entrer dans la maison.

— Je pourrais vous y emmener, suggéra soudain Hugh.

— Vraiment ? s'exclama-t-elle en faisant volte-face. Ça ne vous ennuie pas ?

— C'est sûrement une bonne idée, répondit-il avec brusquerie. Puisque nous sommes censés former un couple...

Ses lèvres s'incurvèrent bizarrement sur ce dernier mot. Cela altéra quelque peu la joie de Sydney, mais elle n'allait pas le laisser empoisonner sa merveilleuse matinée avec ses humeurs de dogue !

— Marché conclu, alors. On ira ensemble.

— Inutile de le claironner, commenta McGillivray. Tout le monde saura.

Il avait entièrement raison, ainsi qu'elle ne tarda guère à le découvrir.

Une heure plus tard, comme elle arrivait en ville pour débuter son travail, miss Saffron la héla.

— Alors, il paraît que vous allez travailler pour Erica ? demanda-t-elle.

— C'est exact.

— Vous êtes si bonne que ça en calcul ?

— Oui.

— Vous devriez peut-être voir mon neveu Otis, alors. A la boutique d'informatique. Il a besoin de quelqu'un pour sa comptabilité. Sur programme informatique, vous savez faire ça ?

— Bien sûr. Je lui parlerai.

Miss Saffron sourit.

— Très bien. Dites-moi, quand est-ce que vous allez voir cette fichue vieille épave avec Hugh ?

Là, Sydney fut estomaquée. Elle venait de quitter Hugh une heure plus tôt, alors qu'il prenait son petit déjeuner et elle était certaine qu'il n'avait pas décroché son téléphone pour annoncer la nouvelle à la vieille miss Saffron !

— Comment savez-vous que nous avons ce projet ? demanda-t-elle.

— Oh ! ça m'a paru logique ! Lorenzo dit qu'il vous en a parlé, et qu'il vous emmènera. Je lui ai répondu de ne pas compter là-dessus. Personne ne vous emmènera nulle part, sauf notre Hugh, assura en souriant la vieille rusée.

Sydney lui sourit en retour.

— C'est juste, murmura-t-elle.

— Bon, allez-y, ma fille. Erica doit vous attendre.

Ainsi congédiée, Sydney s'éloigna sur un signe de main. Devant la boutique d'ordinateurs, Otis balayait le trottoir.

— Bonjour, la copine de Hugh ! s'exclama-t-il. Je peux vous parler une minute ?

La copine de Hugh. Voilà ce qu'elle était pour tout le monde ! Partout où il mettait les pieds, ce matin, il entendait ce refrain.

— La copine de Hugh est rudement jolie.

— La copine de Hugh est futée comme un renard.

— La copine de Hugh est géniale.

Hugh ne s'en étonnait pas et ne protestait pas non plus. Après tout, c'était ce qu'ils voulaient qu'ils croient. N'empêche, ça commençait sérieusement à lui courir sur le haricot !

Bien entendu, il était content que Sydney leur plaise. Lui même la trouvait à son goût. Un peu trop à son goût, pour tout dire, mais il n'avait pas envie que tout le monde la trouve divine ! Lorsqu'elle s'en irait, on le prendrait pour un perdant !

C'est pourquoi il entra dans le bureau de Lachlan, au Moonstone, cet après-midi-là.

— Salut ! lui dit son frère. J'aime bien ta petite amie.

— La Terre entière l'aime bien !

Lachlan parut un instant interdit puis l'observa avec curiosité.

— Et c'est une mauvaise chose ?

— Bien sûr que non, grommela Hugh.

— Elle a un tas de bonnes idées sur le développement de l'île.

— Si on la laissait faire, elle la dirigerait !

Lachlan sourit jusqu'aux oreilles.

— On devrait en faire notre maire ! répondit-il en rigolant.

— Et puis quoi encore ?

— Tu veux te la garder pour toi tout seul ? Enfermée à la maison ?

— Non ! Oui ! Oh ! bon sang ! Je me demande ce que je suis venu faire ici.

— Et moi donc, renchérit Lachlan.

Il ajouta sans cesser de sourire :

— Mais c'est toujours un plaisir de te voir, tu sais.

— La ferme ! bougonna Hugh, se mettant à arpenter les lieux.

Lachlan hocha la tête.

— Ben mince ! Tu l'as drôlement dans la peau.

— Qu'est-ce que j'ai dans la peau ?

— C'est ça, nie, fais comme si de rien n'était, reprit Lachlan en levant les yeux au ciel.

Il poursuivit avec bienveillance :

— Qu'est-ce qu'il y a ? Elle te mène la vie dure ?

— Non, ce n'est pas ça, déclara Hugh en cessant de faire les cent pas.

Cela dit, il n'aurait su dire ce qui le tracassait, en réalité.

— Où l'as-tu rencontrée ?

— Je l'ai pêchée en mer.

Lachlan éclata de rire.

— Toutes les occasions sont bonnes à saisir !

— Mais je ne plaisante pas, bon sang !

— Ai-je dit que tu blaguais ? fit observer Lachlan en se penchant vers lui et en le scrutant avec franchise. Quand un homme trouve la femme de ses rêves, il fait ce qu'il y a à faire. Et je t'aiderai à faire ce qu'il faut pour garder la tienne, crois-moi !

— Elle n'est pas à moi. Pas encore.

— Mais pourquoi, nom d'une pipe ?

Hugh haussa les épaules.

— Il faut qu'on veuille tous les deux la même chose. Et il n'est pas certain que ce soit le cas.

Autant les préparer à la future «séparation», pensa-t-il.

— Ne dis pas n'importe quoi ! Tu es le type le meilleur du monde. A part moi, déclara Lachlan avec un large sourire.

Hugh lui sourit en retour, mais le cœur n'y était pas.

— N'empêche, soutint-il. Ça pourrait ne pas marcher. Je demeurerai ici, c'est un fait. Il se peut qu'elle ne reste pas. Je ne pourrai pas la contraindre. Et toi non plus, ajouta-t-il, sachant que son frère était du genre à s'immiscer.

— Elle veut rester, souligna Lachlan.

— Pour le moment, admit Hugh. Mais bien malin qui peut dire si ça va durer.

Sydney se sentait de plus en plus à l'aise, de plus en plus à sa place. A mesure que les jours passaient, elle prenait ses marques. Elle travaillait deux matinées par semaine chez Erica, et une chez Otis. L'après-midi, elle aidait Molly à tenir la boutique et à faire la comptabilité.

— Vous gâchez votre talent, lui dit McGillivray.

— Mais ça me rend heureuse, affirma-t-elle.

Il ne paraissait pas convaincu, mais elle ne voyait pas comment vaincre sa réticence, sauf à le refaire de pied en cap ! Il ne réalisait sans doute pas qu'elle appréciait bien des aspects de la vie à Pelican Cay…

Quelques jours plus tôt, il l'avait emmenée voir l'épave, un après-midi. Il avait entamé l'excursion à sa manière habituelle, bougonne et distante. Malgré tout, il avait répondu à ses questions, et s'était montré d'une patience d'ange pour lui apprendre à faire des ricochets. Ensuite, quand elle lui avait avoué que cela avait été l'un des meilleurs jours de sa vie, il avait paru content. Toutefois, il n'avait pas tardé à hausser les épaules et à se détourner.

Sydney était habituée à ce qu'on la délaisse, ou ne lui accorde aucun intérêt. Son père étant passé maître dans cet art, elle en connaissait un rayon, dans ce domaine !

Cependant, elle voyait très bien que l'indifférence de Hugh McGillivray était d'une autre nature. C'était une indifférence étudiée, délibérée.

Elle le savait car, parfois, quand il croyait qu'elle ne prêtait pas attention à lui, elle le surprenait à la regarder, et même à l'observer. Dans ces moments-là, dès qu'elle voulait lui adresser la parole, il se détournait.

Pourquoi, bon sang ?

Il aimait les femmes, c'était un point acquis, et elle lui plaisait. Sur le plan physique, il avait éprouvé de l'attirance pour elle dès le début. Cela aussi, c'était un point acquis. Et bien qu'il fît semblant d'être agacé par sa présence, elle aurait juré qu'il appréciait sa compagnie. Sinon, pourquoi se serait-il levé plus tôt tous les matins pour aller se baigner avec elle ? Pourquoi lui aurait-il permis de l'accompagner la nuit, lorsqu'il promenait Belle ? Et pour quelle raison serait-il venu bavarder avec elle le soir ? Il savait plus de choses que quiconque sur l'histoire de Pelican Cay. Sydney avait interrogé beaucoup de gens là-dessus, et personne ne s'y connaissait autant que lui.

Dans un premier temps, si elle le questionnait, il prétendait que ça n'avait pas grand intérêt. Puis, si elle se montrait insistante, il devenait loquace et pouvait parler des heures durant de l'île, de ses pirates, de ses politiciens, de ses pilleurs des mers qui, voici longtemps, y avaient élu domicile. Cette terre et son passé, il avait ça dans le sang, de toute évidence.

Plus le temps s'écoulait, plus elle les avait dans le sang elle aussi : Pelican Cay et… Hugh McGillivray ! Elle se sentait liée à lui comme elle ne s'était jamais sentie liée à aucun homme. Il y avait quelque chose d'électrique et de sensuel, d'ouvertement sexuel entre eux ; cela, elle n'avait pas besoin de faire l'amour avec lui pour le savoir. Cependant, il y avait plus.

Hugh était une sorte de frère, de double ; elle le sentait très bien. Quand il ne cherchait pas à nier ce lien, il se comportait en ami ! Oui, il aurait pu être son âme sœur, de toute évidence, et cette pensée, si déroutante qu'elle fût, la hantait. Toutes les choses qu'elle avait toujours désiré trouver chez un homme, elle les trouvait chez lui.

Or, McGillivray la maintenait à distance. Pourquoi ?

Tout simplement parce qu'il n'avait pas confiance en elle ! Ça, Sydney l'avait compris tout de suite. Il savait qui elle était, d'où elle venait, et pensait qu'elle ne resterait pas. Sans doute estimait-il qu'elle ne se satisferait pas durablement des petits boulots qu'elle avait trouvés et, sur ce point, il avait probablement raison.

Ces boulots n'étaient en effet qu'un pis-aller, un moyen de gagner sa vie en attendant mieux. Elle pouvait aller beaucoup plus loin sur cette île, elle en était certaine ! Plus elle en parlait avec Hugh, plus elle était stimulée…

Sur une impulsion, elle téléphona à Lachlan, parce qu'il s'était intéressé aux premières idées qu'elle avait lancées à propos de l'île, à son arrivée.

— Lachlan ? C'est Sydney. J'ai un projet dont j'aimerais discuter. Aurais-tu du temps pour moi, demain matin ?

— Si nous déjeunions ? suggéra-t-il. Au Beaches ? David Grantham est passé, cet après-midi. Il paraît qu'il t'a eue au téléphone, une fois. Je suis sûr qu'il aimerait mieux te connaître.

— Super. Je viendrai.

Elle raccrocha, très contente ; elle venait d'accomplir un pas vers l'avenir. Demain, elle en effectuerait un deuxième mais d'abord, elle devait régler le passé !

— Allô, papa ? C'est Sydney. Je voulais te dire que je donne ma démission.

C'était la première fois de sa vie qu'elle annonçait à son père une nouvelle qui lui déplairait !

— Sydney ? dit Simon St John, un instant désarçonné. Oh ! c'est toi, Margaret ! Ravi de t'entendre. Bien sûr que tu démissionnes, continua-t-il gaiement. J'ai dit à Roland que tu n'aurais pas envie de continuer après votre mariage.

Ainsi, pensa-t-elle, il avait été au courant de ce qui se tramait ! Elle avait espéré, au fond d'elle-même, que l'idée ne venait que de Roland Carruthers... Elle eut l'impression d'avoir reçu une claque, et se sentit étrangement vide. Cependant, elle ne souffrit pas autant qu'elle aurait souffert une semaine plus tôt. Au contraire, elle sentit plutôt sa résolution s'affermir. Calmement, elle annonça :

— Je ne suis pas mariée, papa.

Il y eut un silence stupéfait. Puis :

— Comment ça, pas mariée ? Que veux-tu dire ? Roland m'a assuré que vous alliez vous marier à l'annonce de la fusion. « Ça fera deux fusions en même temps », voilà son commentaire. Alors, que s'est-il passé ? Ne me dis pas que tu tergiverses, Margaret. Ça n'a jamais été ton genre !

— Je n'ai pas épousé Roland parce que je ne le voulais pas.

— Mais il a prétendu que tu dirais oui !

— Il se trompait.

— Passe-le-moi, exigea Simon St John. Je veux lui parler. Immédiatement.

— Désolée, il n'est pas là.

— Comment ça, il n'est pas là ? Où es-tu, Margaret ?

— Aux Bahamas. J'ignore où est Roland. Je t'appelle uniquement pour t'avertir que je m'installe ici. Je sais que tu ne comprendras pas, mais il faut que je le fasse, c'est tout.

— Tu t'installes ? Pour combien de temps ? Enfin, bon sang ! Margaret, aurais-tu perdu l'esprit ?

— Je l'ai retrouvé, tout au contraire !

— Tu as eu un accident ? Tu as reçu un coup sur la tête ?

— Non, papa. Je me porte comme un charme.

— Alors, je ne comprends pas ! Pourquoi Roland n'est-il pas avec toi ? Qu'est-ce qui se passe, nom d'un chien ? Je te croyais en lune de miel !

— Il n'y a pas de lune de miel, et pas de Roland. Bon, il faut que j'y aille, papa, maintenant que te voilà rassuré sur mon sort. Dis « merci » à Roland de ma part, quand il t'appellera. Je te téléphonerai. Au revoir.

— Ecoute un peu, Marga…

— Au revoir, papa. Je t'aime, dit Sydney qui n'écoutait déjà plus.

Là-dessus, elle raccrocha.

Hugh dévisagea Sydney qui, plantée sur le seuil de la cuisine, tenait une bouteille de champagne à la main. Persuadé d'avoir mal entendu, il secoua la tête et demanda :

— Vous êtes quoi ?

— La coordinatrice du Comité pour le développement de Pelican Cay, répéta-t-elle.

— Coordinatrice ? Un comité de développement ? Qu'est-ce que c'est que ce truc ?

Cela faisait plusieurs jours qu'il guettait le moment de lui dire que la comédie était terminée et qu'elle pouvait faire ses bagages, certain qu'elle serait enchantée de tout quitter : lui-même, l'île et ses petits boulots de comptable. Et voilà qu'elle lui annonçait… va savoir quoi !

— C'est un tout nouveau poste, admit-elle. Il vient de se créer, mais il a de l'avenir.

— Qui a dit cela ?

— Votre frère, pour commencer. Et aussi lord Grantham. J'ai déjeuné avec Lachlan et David, ce matin.

« J'aurais dû m'en douter ! » pensa Hugh en envoyant mentalement son frère au diable.

— Le comité existe, souligna-t-elle.

— Pff ! Il organise des ventes de vieux bouquins défraîchis et de cakes maison !

— Eh bien, il fera beaucoup mieux et beaucoup plus, dorénavant ! déclara-t-elle, légèrement vexée. Pour l'instant, ça ne rapporte pas tellement, mais ça n'a pas grande importance. Je peux vivre sur mes économies. J'aurai un salaire minimum qui me suffira. C'est un point de départ, un véritable engagement. Et lorsque ça marchera pour de bon, ce sera génial !

Hugh embrassa d'un coup d'œil la table mise comme pour un jour de fête : nappe et bougies !

Nom d'une pipe ! Il s'avança, vaguement hébété, tandis qu'elle le suivait en disant :

— Nous allons faire connaître Pelican Cay, développer le tourisme. C'est une destination qu'on peut vendre aux Etats-Unis et en Europe. En impliquant toute la communauté insulaire, et en veillant à ce que l'île en profite sans être pour autant envahie.

— *Nous* ? s'étonna Hugh. Ce n'est pas plutôt à vous-même que vous songez ?

Elle le regarda bien en face.

— Oui, nous. Je ne suis que l'embrayage, celle qui facilite les choses, qui les coordonne et qui s'arrange pour que tout se déroule sans heurt.

— Vous disiez vouloir partir !

Depuis une semaine, il vivait en sa compagnie, dans une sorte de monde enchanté. Ils passaient de longs moments ensemble, allaient se baigner, faisaient des balades, avaient des conversations qui duraient des heures. Ils feignaient de former un vrai couple et ça lui devenait de plus en plus intolérable.

— Vous avez dit que vous partiriez quand le moment de notre séparation serait venu, fit-il remarquer.

— Nous ne sommes pas séparés.

— Ça viendra.

— Rien ne nous y oblige !

— Oh ! mais si !

— Je ne vois pas quoi. Ça marche, et ça continuera de marcher tant que nous saurons anticiper.

— Vraiment ? dit-il d'un air farouche. Vous êtes bien sûre d'avoir pensé à tout, hein ? Et ça, vous y avez songé ?

Il traversa la cuisine en quelques enjambées et lui arracha des mains la cuiller qu'elle tenait pour l'envoyer valser à la volée sur le plan de travail. Puis il l'attira à lui et l'embrassa à pleine bouche.

Ce fut un baiser sans douceur, dicté par la colère et la frustration, et qui traduisait pourtant le désir infini qu'il avait nourri pour cette femme — pour toute femme susceptible de partager sa vie, ses joies, ses espoirs, ses rêves… Il y mit l'essence même du désir, des émotions et du désespoir qu'il nourrissait depuis des jours. Depuis… des années, en fait !

Tout à coup, il sentit qu'il n'était plus seul à agir et que Sydney St John lui rendait son baiser ! Ils s'enlacèrent plus étroitement, dans un élan emporté. Déjà, ils ébauchaient des caresses plus hardies…

Faisant appel au peu de bon sens et d'emprise sur lui-même qu'il lui restait encore, Hugh s'écarta brusquement, le cœur battant, le souffle court.

Brûlant de désir et totalement furieux de constater qu'elle ressentait la même chose que lui, il la dévisagea d'un air farouche.

7.

Chemises, shorts, chaussettes… Hugh entassa à la va-vite ses vêtements dans un sac. Oh ! ce n'étaient pas deux jours d'absence qui allaient résoudre le problème ! Ou faire disparaître Sydney St John ! En fait, elle allait et venait dans la maison avec décontraction, comme s'ils n'avaient pas frôlé la catastrophe la veille au soir !

Ce n'était certes pas grâce à elle qu'ils l'avaient évitée ! Il se remémorait encore, avec une acuité troublante, l'intensité de sa réponse à son baiser…

Il fallait à tout prix qu'il prenne le large ! Heureusement, Tom Wilson l'avait abordé la veille, alors qu'il gagnait The Grouper, pour lui dire qu'il avait à faire à Miami et lui demander de l'y emmener.

— Ce serait génial que tu puisses me ramener aussi, avait-il ajouté. Ce n'est vraiment pas facile de dénicher un pilote, là-bas.

— C'est entendu, je m'en charge, avait répondu Hugh.

Pour un peu, il aurait proposé à Tom de décoller séance tenante, mais comme il faisait déjà nuit, il lui avait donné rendez-vous pour le lendemain 9 heures. Ensuite, il s'était dirigé vers The Grouper, bien résolu à noyer ses désirs intempestifs dans une bouteille de whisky.

Il était certain que la nouvelle ferait le tour de l'île en un temps record : Hugh est au Grouper, *tout seul* !

Les commérages commencèrent dès qu'il franchit le seuil ; il les ignora. Quelle importance, si les gens racontaient qu'il avait des problèmes avec Sydney ? D'ailleurs, *il en avait* ! C'en était un que de désirer une femme qui ne vous convenait pas, et un plus grand encore de voir la femme en question réagir favorablement à vos avances ! A croire qu'elle avait perdu la tête...

Eh bien, il aurait du sang-froid pour deux !

Son allure devait traduire mieux que des mots ce qu'il éprouvait car, à son entrée, Michael, le barman, lui tendit sans mot dire une bouteille et un verre, lui désignant d'un simple mouvement du menton une petite table à l'écart.

Hugh s'y installa, dos au mur, et se concentra sur son verre, en foudroyant d'un regard noir tous ceux qui faisaient mine de vouloir l'approcher.

Une seule osa passer outre : Lisa Milligan.

— Salut, Hugh, dit-elle en souriant. Il y a un moment que je ne t'avais pas vu. Ton amie est partie ?

— Non, grommela-t-il en se versant un nouveau verre.

Au lieu de se laisser rebuter, elle demanda avec gentillesse :

— Quelque chose ne va pas ?

— A ton avis ? lui rétorqua-t-il d'un ton rogue, excédé de se soucier toujours des sentiments des autres.

Pour ce que ça lui avait rapporté ! Il allait s'occuper de lui, pour changer un peu !

— Tu veux te joindre à nous ? demanda-t-elle d'un air qui se voulait engageant et gai.

Elle ne réussit à masquer ni son inquiétude ni son désarroi, et il n'eut pas le cœur de la rembarrer sans ménagement — quelque envie qu'il en eût.

— Non, merci, murmura-t-il en se versant une énième rasade. Tu es gentille, Lisa, mais je n'ai pas envie de compagnie, ce soir.

« Ni ce soir ni jamais », songea-t-il, morose.

Lisa s'éclipsa sur un timide « au revoir » et personne, ensuite, n'osa renouveler une tentative analogue. Les gens regardaient dans sa direction, murmuraient, secouaient la tête en soupirant, puis passaient leur chemin. Demain, tout le monde saurait qu'il avait rompu avec Sydney. Même à Nassau !

102

Qu'est-ce que ça pouvait bien faire ? De toute façon, ils n'avaient jamais vraiment été ensemble !

Hugh avala encore un verre, sans prêter attention à l'écoulement du temps. L'alcool ne semblait guère atténuer les souvenirs brûlants qui le hantaient. Peu pressé de rentrer, il continua donc à boire.

Lorsque le barman, vint se planter devant sa table et agita ses clés en annonçant : « Je ferme ! », Hugh sortit brusquement de sa léthargie morose. La bouteille étant vide, il se leva en haussant les épaules. Il eut l'impression que les lieux se dissolvaient dans une brume grisâtre et que tout tournoyait autour de lui.

— Hé ! Ça va ? lui demanda Michael.

— J'suis en pleine forme !

Il repéra tant bien que mal la sortie et se dirigea au radar dans cette direction, s'efforçant de ne rien heurter au passage. Michael vint poser une main sur son épaule, le guidant pour franchir le seuil puis les marches du porche.

— Tu as vidé la bouteille, dit-il. Tu es bien sûr de pouvoir rentrer chez toi ? Je peux appeler un taxi, sinon. Mon père te raccompagnera.

— J'irai à pied, répondit Hugh qui cherchait à s'éclaircir les idées. La nuit est belle.

— On annonce de la tempête, murmura Michael en scrutant le ciel étoilé. Paraît que ça va éclater d'ici un jour ou deux.

La tempête, Hugh s'en fichait. Il avait déjà largement son compte de perturbations !

— Du moment que ça m'empêche pas de voler… Je décolle demain matin. Pour Miami.

— Avec ta copine ?

— Non ! explosa Hugh avec une violence qui le surprit lui-même.

Il se passa une main sur le visage, puis répéta plus doucement :

— Non.

— Je vois, dit Michael en lui donnant une tape amicale sur l'épaule.

— Quoi donc ? rétorqua Hugh d'un ton ironique.

— Impossible de vivre avec les femmes, impossible de vivre sans.

« Frappé au coin du bon sens », songea Hugh en s'éloignant.

Le lendemain matin, il avait la gueule de bois — sans doute pour sanctionner l'arrêt sans appel de son ami au sujet des femmes ! Et Dieu qu'il aurait aimé que Sydney arrête son raffut de casseroles et d'ustensiles divers dans la cuisine ! C'était à vous rompre le crâne !

Il acheva de remplir son sac en envisageant de s'offrir une soirée de « vadrouille » à son retour. Il allait s'amuser un peu, rencontrer quelque jolie fille qui lui ferait oublier celle qui l'obsédait !

— Je pars pour Miami, annonça-t-il en entrant dans la cuisine.

Sydney, qui chantonnait, se retourna brusquement et capta du premier regard le sac qu'il tenait. Elle ne dit rien et se contenta de le dévisager.

— Je pourrais vous emmener, suggéra-t-il. Vous ramener à votre vraie vie.

Elle fit signe que non, lentement, résolument.

— Ma vraie vie est ici. J'ai démissionné de mon ancien job.

C'était bien la dernière chose qu'il eût envie d'entendre ! Il haussa cependant les épaules d'un air désinvolte.

— Comme vous voudrez. Trouvez-vous un point de chute pendant que je serai parti.

Il vit passer une curieuse expression dans son regard, comme si elle était… blessée ?

— Très bien, je le ferai, répondit-elle avec raideur.

— Je dors là-bas, dit-il froidement. Je ne sais pas jusqu'à quand et je ne peux pas emmener Belle. Est-ce que vous voulez qu'elle reste ici ? Sinon, je peux la conduire chez Molly.

— Je la garderai.

Un instant, ils se dévisagèrent.

— Vous pouvez partir quand bon vous semble, ajouta Hugh. Si vous changez d'avis, vous n'aurez qu'à la confier à ma sœur.

— Je vous ai déjà dit que je restais.

De nouveau, ils échangèrent un regard. Hugh se surprit une fois de plus à regarder sa bouche. Il faillit céder à son envie de l'embrasser et se retint à temps.

« Nom d'un petit bonhomme ! » pensa-t-il, agacé par ses propres réactions.

Il bougonna :

— C'est bon, je m'en vais.

Sydney étudia les listes qui s'alignaient devant elle sur le bureau : artisans, hommes de l'art, spécialistes… attractions de l'île, équipements hôteliers, agences de location de voitures, guides de pêche ou de plongée…

Un peu plus tôt, elle avait déclaré à David et à Lachlan, en agitant ces feuillets devant eux :

— Je tiens toujours compte de tous les paramètres.

Ce n'était pas entièrement vrai. Elle faisait l'impasse dessus lorsqu'ils comptaient vraiment, lorsqu'elle était concernée. Quand Roland avait annoncé leur mariage imminent, par exemple, il s'était avéré qu'elle avait manqué quelque chose de capital. Eh bien, cela ne se renouvellerait pas !

Elle était un peu comme la Belle au bois dormant, qu'un baiser avait brutalement tirée de son sommeil : son échange sensuel avec Hugh lui avait laissé entrevoir un tas de possibilités dont elle n'aurait jamais soupçonné l'existence, auparavant. A présent, elle les connaissait !

La veille, elle avait répondu d'instinct, et avec passion, au baiser de Hugh McGillivray. Jamais elle n'avait désiré un homme ainsi, avec autant de violence…

Un mot inattendu lui traversa l'esprit, tandis qu'elle pensait à lui : amour…

— De *l'amour* ? dit-elle à voix haute, comme pour soupeser et jauger.

Puis elle devint rêveuse.

— Je l'aime, soupira-t-elle dans un murmure.

Elle en resta tout étonnée. Sa certitude était profonde, primitive, et indiscutable. Il n'y avait pas à réfléchir là-dessus. C'était arrivé sans crier gare, c'était ainsi, et voilà tout.

« C'est une erreur », songea-t-elle encore. Cet homme-là n'était pas du tout fait pour elle ! Il était trop opiniâtre, trop désinvolte, trop rude et abrupt.

Malgré tout, elle en était amoureuse ! Des images surgirent dans son esprit, formant une série d'impressions kaléidoscopiques : Hugh en train de jouer avec sa chienne, en train de courir sur la plage, de lui apprendre à faire des ricochets, de lui parler de Pelican Cay… Et aussi : ses lèvres embrassant les siennes, et la splendeur de leur échange sensuel… Oh ! juste ciel !

Qu'allait-elle donc faire ? Si elle avait conscience de la nature réelle de ses propres sentiments — il ne s'agissait pas, pour elle, de simple désir physique —, elle était tout aussi consciente d'un autre fait : Hugh McGillivray n'était pas amoureux d'elle !

En acceptant le travail que Lachlan et David lui avaient proposé, elle s'était imaginé qu'il y verrait la preuve de son engagement, de son intérêt pour Pelican Cay, et qu'il en viendrait à lui accorder sa confiance. Elle avait même espéré qu'il serait désireux d'explorer avec elle les possibilités de cette nouvelle activité…

A présent, elle voulait bien plus que cela. Elle voulait être aimée de lui…

Or, il aimait Carin Campbell.

Carin était celle dont il avait espéré partager la vie, et il ne l'avait jamais nié. Même s'il savait que c'était quelque chose d'impossible et s'il avait fini par accepter cette idée, cela ne signifiait nullement qu'il était prêt à se contenter d'un « deuxième choix » !

Bien sûr, il l'avait embrassée ; mais il ne s'agissait que de désir de sa part, pas d'amour. Il se comportait comme se conduisent tous les hommes qui côtoient de près une femme qu'ils trouvent excitante… Rien de plus.

Pour l'instant, du moins… Oui, *pour l'instant* !

A cette nouvelle pensée, elle retint son souffle. Les élans de Hugh McGillivray à son égard étaient-ils susceptibles de se modifier ?

Pouvait-il en venir à lui porter des sentiments plus profonds et plus durables ?

Après tout, ça lui était bien arrivé, à elle ! Ses propres sentiments envers lui avaient changé du tout au tout, depuis l'instant où elle l'avait rencontré ! Pourquoi ceux de Hugh ne pourraient-ils se modifier aussi ?

— Oui, c'est possible, murmura-t-elle soudain avec conviction.

Un sourire naquit sur son visage, s'élargissant peu à peu.

« Tu dois envisager ça comme un défi », se dit-elle.

En effet, c'en était un et l'enjeu était autrement plus important que d'organiser les activités touristiques de Pelican Cay pour développer l'île !

Sydney aimait avoir des défis à relever. Même si elle ignorait comment on peut éventuellement changer l'état d'esprit et les sentiments d'un homme, elle était prête à tenter le tout pour le tout dans ce but !

Le mardi s'écoula sans que Hugh revienne. Sydney écuma le bord de mer, sous prétexte d'établir une carte des « sites remarquables » de Pelican Cay. En réalité, elle ne cessa de guetter dans le ciel la réapparition de l'hydravion.

Le mercredi arriva et il ne rentra pas ce jour-là non plus. Il ne donna pas un seul coup de fil.

Pour le jeudi, Sydney avait organisé une rencontre d'une journée au Moonstone avec tous les artistes et artisans de l'île. C'était, à son avis, une excellente occasion pour que chacun se sente impliqué et noue des relations avec ses pairs.

A la perspective de cette journée, cependant, elle s'avoua que la seule personne qu'elle eût envie de « rencontrer » était Hugh McGillivray, mais… il ne se manifestait toujours pas !

Ce matin-là, lorsque Sydney s'arrêta à la boutique pour y déposer Belle avant de se rendre au Moonstone, Molly lui dit :

— Hugh a appelé ce matin. Je suis surprise qu'il ne t'ait pas téléphoné.

Sydney fit de son mieux pour sourire et paraître décontractée, en disant :

— Je parie qu'il s'agissait d'une question d'affaires.

— Pas du tout. Il m'a annoncé qu'il arriverait ce soir. Seulement, à ce moment-là, il n'était pas au courant, pour la tempête.

— Comment ça ? Quelle tempête ?

— Je constate que tu n'as pas écouté Trina. Si tu veux devenir une véritable habitante de Pelican Cay, Sydney, il faut que tu suives son émission.

Trina était la « Mlle Météo » de la station de radio locale. C'était une sorte de légende, à Pelican Cay : elle avait la réputation de faire de meilleures prévisions que les météorologies nationales des Etats-Unis et des Bahamas.

— J'étais distraite, murmura-t-elle. Qu'est-ce qu'elle a annoncé ?

— Qu'une tempête soufflant de l'Ouest devrait nous atteindre ce soir, pour poursuivre ensuite sa route en balayant la Floride.

— Elle annonce un truc de ce genre pratiquement tous les jours, non ?

— Cette fois, c'est différent. Il s'agit probablement d'un ouragan. Pour l'instant, il n'est pas très important, mais il grossit d'heure en heure. Quand tu auras terminé ta journée au Moonstone, tu ferais bien de vérifier la provision de bougies et d'eau potable, sans oublier le groupe électrogène.

« Bougies ? Groupe électrogène ? Provision d'eau ? » pensa Sydney avec incrédulité.

— Tu parles sérieusement ? demanda-t-elle. Je ferais mieux d'annuler la journée de rencontres au Moonstone, alors ?

— Pas du tout ! Ils seraient tous déçus. Ce n'est pas tous les jours qu'on prend une initiative de ce genre, ici ! Tu as eu une excellente idée, tu sais. Ça prouve que nous formons bien une communauté, que nous sommes tous impliqués.

— C'est le cas !

— Je sais. Et tu peux être sûre que tout le monde viendra ! Quoi qu'il en soit, les gens ont l'habitude des tempêtes. De tout manière,

Lachlan sera à l'écoute de la radio, et s'il faut écourter les rencontres, il t'avertira.

— Bon, puisque tu le dis…

— Tu peux me faire confiance !

Sydney s'éloigna vers la porte. Toutefois, parvenue sur le seuil, elle s'arrêta.

— Au fait, et Hugh ? Il ne va tout de même pas tenter de rentrer ce soir s'il y a un ouragan, n'est-ce pas ?

— Sûrement pas, s'il lui reste un brin de jugeote ! répondit gaiement Molly.

Sydney dut se contenter de cette réponse. Cependant, tout en se rendant au Moonstone, elle put constater que chacun paraissait inquiet.

Il faisait terriblement chaud et lourd, c'était vrai. Il n'y avait pas un brin d'air, mais cela valait mieux qu'un vent soufflant en rafales, non ?

Une fois au Moonstone, Sydney oublia malgré tout les menaces de la météo pour se concentrer sur son initiative. Comme Molly l'avait annoncé, tout le monde était ravi de cette invitation à discuter autour d'un bon thé !

Les premières personnes qu'elle rencontra furent Carin et Nathan Wolfe. Ils étaient impatients de la connaître, et Carin prit même la peine de dire :

— Je suis si contente que vous soyez là. Si contente pour vous et Hugh ! C'est quelqu'un de merveilleux.

— Oui, je le pense aussi, biaisa Sydney.

« J'espère seulement qu'il a cessé de vous aimer », ajouta-t-elle en son for intérieur.

Ils bavardèrent agréablement, et lui présentèrent aussi des habitants de Pelican Cay qu'elle ne connaissait pas encore : Turk, un créateur de presse-papiers en corail et coquillages ; les Cash, deux frères jumeaux sculpteurs de jouets en bois pour enfants et de répliques de vaisseaux pour collectionneurs…

Sydney ne pensa guère à la tempête, pendant ce temps-là. D'ailleurs, le ciel n'était-il pas toujours bleu ?

Pourtant, à un moment donné, tous s'en furent pour acheter des bougies, ou des batteries de secours. Elle alla trouver Lachlan, en lui disant :

— Tout ce foin pour une tempête ?

Elle était en fait à peu près persuadée qu'on la tournait en bourrique, histoire de lui faire une blague.

L'air sérieux, Lachlan l'entraîna vers la baie vitrée et lui désigna, à l'horizon, une ligne d'un brun mauve au-dessus de laquelle s'amassaient des nuages. Rien de particulièrement sinistre ou inquiétant.

— Ça ? demanda-t-elle d'un air dubitatif.

— Ça va grossir. Il est temps de rentrer tout ce qui traîne : meubles de plage, parasols, plantes en pots. Il faut arrimer tout ce qui ne peut pas être rentré et fermer les volets. Voire clouer des planches dessus.

Sydney, qui ne connaissait que des persiennes au rôle purement décoratif, dit avec étonnement :

— Non, sans rire ?

— Je ne plaisante pas ! insista Lachlan. Attends que j'aie fini ici, et je viendrai t'aider à ranger chez Hugh.

Elle regarda de nouveau l'horizon et eut l'étrange impression que, déjà, les choses s'étaient modifiées : le ciel semblait plus sombre et les nuages plus proches. Soudain vaguement alarmée, elle déclara :

— Je te devance là-bas.

Sur place, elle s'empressa de rentrer tout ce qu'elle s'était donné la peine de disposer à l'extérieur pour faire place nette dans la maison : la bicyclette, la planche de surf, la niche de Belle, les outils de pêche… Elle décrocha les flamants roses et les vahinés pour les mettre aussi à l'abri… Tandis qu'elle allait et venait, elle ne cessa de scruter l'horizon : la longue tache pourpre se rapprochait sans cesse.

Lachlan arriva en même temps que les premières bourrasques de vent. Il rentra le hamac et la balançoire, puis se mit en devoir de fixer les volets. Sydney l'y aida de son mieux.

— Tu as des nouvelles de Hugh ? lui demanda-t-elle. Il a dit à Molly qu'il rentrerait peut-être ce soir.

— Ça m'étonnerait ! Il est sûrement à l'abri dans un confortable hôtel de Miami en attendant que ça se calme.

— Je l'espère, dit-elle avec un tout petit sourire.

— Il tient à sa peau, crois-moi. Bon, tout est bien bouclé, maintenant. Ça devrait résister sans problème. Allons, viens. Prenons l'écuelle et les provisions de nourriture de Belle, et allons-y.

— Où ça ?

— Chez nous. Tu ne vas tout de même pas rester seule ici ! Ne sois pas ridicule ! protesta Lachlan, devinant son intention.

— Hugh pourrait rentrer. Si Belle n'est pas là…

— Il saura où la trouver. Et toi aussi. Allons, suis-moi. Fiona nous attend. On est plus protégé du côté du port, où nous habitons.

— Je veux attendre ici, insista Sydney.

Comme Lachlan ouvrait la bouche pour protester de nouveau, elle le devança :

— Tu as dit que c'était sûr, ici. Et que ça résisterait sans problème.

— Oui, mais…

— Lachlan, écoute, il faut que je reste. Tout ira bien, j'en suis sûre.

Sydney n'aurait pas su expliquer ce qui la retenait. Bien entendu, d'un point de vue purement logique, Lachlan avait raison. Toutefois ce n'étaient ni la logique ni le sens pratique qui la guidaient. Elle suivait son instinct et songeait qu'elle avait dit à Hugh : « Je ne partirai pas. »

— Il ne viendra pas ce soir, je te dis, lui assena Lachlan.

Pourtant, elle s'obstina. Belle s'était postée près d'elle et toutes deux semblaient faire corps contre la volonté de Lachlan.

— Fiona va me réduire en charpie ! soupira-t-il.

— Sûrement pas. Elle comprendra que cette décision me regarde.

— Ben voyons ! grommela Lachlan qui regardait par la porte d'entrée ouverte. Ça y est, il commence à pleuvoir.

— Tu ferais bien d'y aller, dit Sydney en voyant que les arbres commençaient à ployer sous la bourrasque. Lachlan, je t'en prie ! Tout ira bien, je t'assure. J'ai promis d'être là ; je ne partirai pas.

Il parut sur le point d'objecter, puis finit par secouer la tête en bougonnant :

— Tu es aussi têtue que lui, ma parole ! Ah ! vous vous êtes trouvés, tous les deux !

Là-dessus, il lui donna une étreinte bourrue, assortie d'un large sourire.

— Mets les volets de la porte, quand je serai parti, et verrouille-les bien. Si l'eau atteint la mangrove, attention ; il faudra que tu gagnes un poste plus en hauteur.

— J'y veillerai, assura-t-elle.

Sydney le regarda s'éloigner, puis rabattit les volets et les ferma. Soudain, elle eut l'impression d'être enfermée dans une boîte. La pluie se mit à tambouriner avec force et le vent se leva.

Hugh n'allait pas venir, elle le savait. Elle espérait d'ailleurs qu'il ne viendrait pas car pareille tentative équivaudrait à un suicide.

Pour sa part, elle avait promis de rester en ces lieux, et elle y resterait. C'était un point d'honneur ! Une sorte d'engagement à tenir.

Le vent se déchaîna autour de la maison, la pluie crépita violemment. Belle se mit à gémir.

— Calme-toi, lui dit Sydney. Ce n'est qu'un gros orage, il passera.

Tout en continuant à gémir, Belle gagna la porte et se mit à aboyer. A cet instant, les volets furent secoués violemment.

« Seigneur ! » pensa Sydney, gagnée par la panique.

Une voix étouffée lui parvint alors par-dessus le vacarme :

— Bon sang, Sydney, ouvrez cette fichue porte !

8.

— Mais qu'est-ce que vous fabriquez ici ? cria Hugh.

Sombre et menaçant, trempé comme une soupe et absolument furieux, il se dressait devant elle, tandis qu'une flaque grossissait à ses pieds et que Belle sautait de joie autour de lui en aboyant comme une folle.

— Moi ? demanda Sydney, incrédule.

La surprise que lui causait cette entrée en matière agressive avait eu raison de son soulagement à le voir sain et sauf !

— C'est *moi* que vous prenez à partie ? continua-t-elle. Alors que vous avez eu l'insanité de voler par cette tempête ? Vous étiez censé rester à l'abri à Miami !

— J'ai prévenu Molly que je rentrais.

— Et elle vous a averti qu'on annonçait un ouragan !

Il haussa les épaules.

— Il n'y a pas de quoi en faire un plat. Je suis parti à temps avant que ça ne se gâte.

Il ôta son T-shirt détrempé, en ajoutant :

— Je voulais m'assurer que tout était en ordre, ici.

La gorge sèche, elle fixa son torse dénudé.

— Comme vous pouvez le constater, tout va bien, dit-elle d'un ton glacial.

Il prit le soin d'aller de pièce en pièce en vérifiant chacune des mesures prises, puis finit par grommeler une vague approbation.

— Soit, concéda-t-il finalement. Mais… je pensais que vous auriez eu l'intelligence d'aller chez Lachlan !

— Je vous avais dit que je resterais.

— Ce n'est pas la place d'une femme, en pleine tempête !

— Ah ! Parce que c'est la place d'un homme, peut-être ? Et que le fait d'être un homme vous donne le droit de risquer votre vie en avion sans aucune nécessité ! s'écria-t-elle.

Sydney avait conscience d'avoir haussé le ton, mais n'en avait cure. Elle continua donc sans désemparer :

— Mon ineptie n'est rien en comparaison de la vôtre ! Comment avez-vous pu commettre une stupidité pareille, espèce d'idiot !

— C'est moi, l'imbécile ? rétorqua-t-il sur le même ton. Si j'ai pris ce risque, comme vous dites, c'est parce que je suis tombé sur Lachlan qui rentrait chez lui, et qu'il m'a appris où vous étiez. Vous avez refusé de le suivre !

— Vous saviez donc que j'étais à l'abri ici, et vous auriez mieux fait d'aller chez lui !

Ils se dévisagèrent avec hostilité, dans un duel de regards sans concession. Ce fut Hugh qui détourna les yeux, avec un haussement d'épaules dédaigneux. Puis il se pencha pour caresser Belle comme s'il était content de la voir, elle ! Ce qui était de toute évidence le cas.

En l'observant, Sydney sentit sa colère l'abandonner ; elle était trop heureuse de le voir sain et sauf, de le savoir à l'abri tandis que la tempête faisait rage. Elle avait envisagé, au cours de la journée, qu'elle avait pu mal analyser ses propres réactions. Il pouvait arriver que l'on se trompe sur ce que l'on ressentait… Or, l'intensité de son soulagement lui confirmait la véracité de ses sentiments : elle était réellement éprise de Hugh McGillivray…

S'il n'était pas revenu, s'il avait péri dans la tempête… Oh ! elle aimait mieux ne pas songer à cela ! C'était une pensée trop affreuse, une possibilité inenvisageable ! Elle eut envie d'aller vers lui et de le serrer dans ses bras. Malheureusement, elle ne le pouvait pas. Du moins, pas encore…

Hugh se redressa après une dernière caresse à sa chienne puis, contournant les objets rentrés et entassés dans un coin, s'avança vers Sydney. Pour un peu, elle aurait cru qu'il avait lu dans ses pensées !

Cependant, il la dépassa délibérément en grommelant :

— J'ai besoin de prendre une douche.

Interdite, elle le suivit du regard. Etait-ce bien l'homme qui l'avait embrassée comme un fou ? Il y avait de quoi en douter. « Il semble avoir perdu tout désir pour moi lors de son voyage à Miami », pensa-t-elle avec un regain de colère.

En réalité, elle n'en était pas convaincue. Elle avait remarqué qu'il avait pris grand soin de ne pas l'effleurer au passage ; comme si l'attirance qui les avait jetés dans les bras l'un de l'autre, trois jours plus tôt, était loin d'être assouvie, ou morte, et qu'il s'en défiait. Comme si le feu couvait sous la cendre, prêt à flamber de nouveau, dans une explosion sensuelle incontrôlable.

Alors qu'il disparaissait dans la salle de bains, elle lui proposa d'un ton provocateur :

— Vous voulez que je vous frotte le dos ?

« Manquerait plus que ça ! » songea Hugh, sous la douche, en s'efforçant de recouvrer son empire sur lui-même.

Décidément, cette femme était comme un poison qui courait dans ses veines, contaminait ses pensées, s'immisçait dans ses rêves…

Trois jours durant, il s'était efforcé de l'oublier. Il n'avait cessé de se dire qu'elle désirait des choses qu'il ne pouvait lui donner, et que l'attirance sensuelle qu'elle éprouvait à son égard n'était pas destinée à durer. Il était tout aussi sûr, par ailleurs, qu'elle ne voudrait pas rester à Pelican Cay, au bout du compte. Alors, pourquoi pensait-il sans cesse à elle ? Serait-il devenu masochiste ?

Tom Wilson, qui dirigeait une résidence de séjour pour hommes d'affaires dans une petite île privée au large de Pelican Cay, avait eu une série de rendez-vous à Atlanta, Charleston, Mobile et Orlando, après sa réunion à Miami. Il avait été ravi que Hugh ait accepté de l'y accompagner.

— Je pensais que tu voudrais rejoindre ta petite amie, avait-il dit.

Bien qu'il ne vécût pas à Pelican Cay, il était au courant, comme tout le monde et, bien entendu, Hugh n'avait pu nier la supercherie qu'il avait lui-même mise en place. Il avait cependant répondu en haussant les épaules :

— Elle a sa vie. Elle est débordée de boulot, pour mon frère.

— Oui, j'ai entendu dire ça. Il paraît qu'elle est drôlement futée et qu'elle connaît son affaire. Grantham la trouve brillante.

Et ainsi de suite, pendant trois jours ! Ou bien Tom disait quelque chose qui la lui remémorait ; ou bien lui-même entendait quelque chose que Sydney aurait aimé savoir ou qui l'aurait fait rire ; ou bien… Non, ça, il aimait mieux ne pas y songer !

Cela dit, il n'avait pas été capable de passer trois jours sans avoir de ses nouvelles et il avait donc téléphoné à Molly. Dès qu'il lui avait parlé de la tempête qui menaçait, il ne s'était plus senti tranquille.

Belle avait une peur bleue des orages. Sydney avait promis de prendre soin de la chienne, bien sûr, mais que savait-elle des tempêtes tropicales ou des réactions d'un animal affolé ? Rien ! Elle ne possédait aucune expérience en ce domaine, et, dès l'annonce d'un ouragan, elle quitterait probablement l'île en quatrième vitesse !

C'était donc pour Belle qu'il était revenu. Dès qu'il avait vu, en remontant le quai, son frère qui descendait seul de sa Jeep, il lui avait demandé :

— Où est-elle ?

Si Lachlan avait cru qu'il parlait de Sydney, pouvait-il l'en blâmer ?

— Elle refuse de quitter ta satanée maison ! avait-il crié par-dessus le vacarme du vent. Elle prétend t'avoir promis de rester ! Inouï, non ?

— Elle est complètement cinglée ! avait-il répondu sur le même ton. Passe-moi la Jeep !

Lachlan lui avait lancé les clés de contact sans hésiter.

— Va donc la rejoindre ! Elle aurait pourtant été bien, chez nous. Mais non, elle n'a rien voulu savoir. Elle était persuadée que tu reviendrais.

S'il était resté en Floride, il se serait fait un sang d'encre. A coup sûr, il aurait imaginé le pire !

Il aurait juré qu'elle paniquerait, qu'elle ne saurait que faire. Or, il découvrait qu'elle faisait face comme chacun l'en croyait capable. C'était lui qui s'était affolé, désespéré. Il n'était pas en meilleur état que trois jours plus tôt, bien au contraire, et il éprouvait toujours pour elle un désir violent, douloureux comme une blessure..

— Le toit fuit, annonça Sydney.

« Tu parles d'une affaire ! » se dit Hugh. Cela faisait trois heures que l'eau s'infiltrait. Le toit avait besoin d'être refait ; rien de neuf là-dedans !

Il fit mine de se concentrer intensément sur la lecture d'un vieux numéro de *Charter Captain*, qu'il connaissait par cœur. C'était d'un ennui mortel, mais cela valait mieux qu'une « rencontre du troisième type » avec Sydney St John !

Depuis qu'il était sorti de la salle de bains, il s'efforçait de garder ses distances. Pas facile !

Après avoir réchauffé de la bouillabaisse accompagnée de croûtons croustillants, elle lui avait proposé :

— Asseyez-vous et mangez.

Il avait obéi pour ne pas se montrer puéril et… parce qu'il avait faim. Tout en mangeant, elle lui avait posé des questions sur son voyage en Floride, auxquelles il avait donné des réponses évasives. Loin de se laisser décourager, elle avait changé de sujet, lui parlant de la réunion avec les artisans et artistes locaux.

— J'ai fait la connaissance de Carin et de Nathan. Je les ai trouvés très sympathiques, avait-elle dit. Elle est vraiment charmante.

Il l'avait dévisagée et avait eu la satisfaction de la voir rougir.

Elle avait aussi raconté sa rencontre avec Turk et les Cash, les sculpteurs sur bois, deux ours avec lesquels il n'avait jamais réussi à échanger, pour sa part, plus de quatre mots significatifs ! Bien entendu, elle était parvenue à établir le contact, elle !

— Vous seriez capable de donner des ailes aux cochons, lui avait-il dit.

Elle avait répondu en riant :

— Merci.

— Comme ça, vous quitteriez l'île encore plus vite.

Sydney avait accusé le coup. Il s'était alors levé brusquement pour aller déposer les assiettes dans l'évier. Loin de protester lorsqu'elle avait insisté pour se charger de la vaisselle, il en avait profité pour se réfugier dans un recoin de la pièce, où il s'obstinait à présent à feindre de lire.

Elle remplaça le récipient plein qu'elle avait placé sous une fuite d'eau près de la porte en faisant volontairement pas mal de bruit. Voyant qu'il ne réagissait pas, elle commenta avec une politesse exagérée à souhait :

— Etant donné le soin que vous prenez de votre matériel, j'aurais cru que vous accordiez la même attention à votre maison.

Suffisamment piqué pour lever les yeux, Hugh la vit qui l'observait, tête légèrement penchée, avec une petite lueur dans l'œil.

Résolu à ignorer le courant électrique qui soudain passait entre eux et qui était infiniment plus perturbant que la tempête environnante, il répondit avec désinvolture :

— N'est-ce pas ?

« Il l'a senti lui aussi », pensa Sydney. Hugh avait capté les courants sous-jacents, puissants, électrisants, qui circulaient entre elle et lui, et dont la puissance était bien plus forte que celle de l'orage. Pourtant, il leur résistait.

Pourquoi ? Parce qu'il se refusait à admettre leur affinité sensuelle ? Leurs affinités électives ?

Le problème, se dit-elle, était comparable à celui qu'elle avait rencontré lors de la récente fusion entre St John Electronics et Butler Instruments. Les deux entreprises se complétaient bien, n'étaient pas en compétition et pouvaient tirer un plus grand profit de leur union qu'en faisant cavalier seul. Or, Cari Teasdale, le directeur de Butler, n'en avait pas eu conscience, au début ; il renâclait devant une éventuelle fusion. Sydney avait su lui démontrer en quoi l'union serait profitable, car elle savait ce qui comptait pour Cari, et quels arguments porteraient.

« Quels sont donc les arguments susceptibles de faire mouche auprès de Hugh McGillivray ? » se demanda-t-elle, tandis que la pluie martelait le toit, que le vent secouait furieusement les volets en faisant trembler les vitres, et que la lumière clignotait, comme à l'approche d'une coupure de courant.

— Si on jouait aux cartes ? s'exclama-t-elle tout à coup.

Levant lentement les yeux du magazine dont il n'avait pas tourné une seule page depuis vingt bonnes minutes, il demanda :

— Quel genre de jeu ?

— Strip-poker ? suggéra-t-elle.

Il parut quelque peu surpris et se crispa visiblement. Puis il lissa les pages de son magazine avec une lenteur voulue, et se remit à « lire » en disant !

— Ben voyons…

Sydney comprit qu'elle avait avancé ses pions trop vite. Il fallait battre en retraite, calmer le jeu tout en renouvelant la tentative.

— Bon, très bien, pas de strip-poker, dit-elle d'un ton léger. Un gin rummy, alors ?

— Non, énonça-t-il sans même lever les yeux.

— Un 421 ?

— Non.

— Une belote ?

— Je n'ai pas envie de jouer aux cartes, Sydney.

— Parfait. Puisque vous lisez, je vais lire aussi.

Elle alla fourrager dans la pile de magazines posée tout près de lui. Si, en se penchant, elle effleura de sa chevelure son genou dénudé, ce n'était tout de même pas sa faute ! Seul pouvait être accusé l'effet de la gravité.

En revanche, lorsqu'il leva vers elle un regard furibond, et se laissa aller à braquer les yeux sur l'échancrure très dégagée de son T-Shirt en V, c'était bel et bien lui le « coupable », et non elle !

— Qu'est-ce qu'il y a ? Ça ne va pas ? demanda-t-elle d'un air innocent en l'entendant pousser un soupir étranglé.

Leurs visages se trouvaient à quelques centimètres l'un de l'autre. Les traits de Hugh étaient figés dans une immobilité de pierre, mais elle voyait battre spasmodiquement une veine au creux de son cou.

— Ça va parfaitement bien, grommela-t-il d'une voix étranglée.

— Tant mieux, répondit-elle avec un sourire.

Puis elle prit son temps pour « choisir » un magazine — en fait, elle en prit un au hasard —, s'installa sur une chaise à quelques pas de là, et se mit à le feuilleter. Observant Hugh à la dérobée, elle le vit faire craquer ses phalanges, puis prendre plusieurs profondes inspirations.

Les lumières clignotèrent fugitivement et un volet se mit à battre bruyamment. Se levant du plaid où elle était blottie, Belle vint près de Sydney, qui la caressa pour la rassurer.

Hugh s'agita sur sa chaise et tourna une page. Puis une autre. Il aurait lu la nuit entière, sans doute, si soudain la lumière ne s'était éteinte.

— Pas l'idéal pour lire, commenta gaiement Sydney en allumant l'une des bougies empruntées à Lachlan. Une partie d'échecs, ça vous tente ?

Elle avait trouvé un jeu d'échecs empoussiéré en faisant du rangement dans la maison. Manifestement, Hugh n'y touchait jamais, mais sans doute connaissait-il les règles du jeu.

— A moins que l'échiquier ne soit là que pour le décor ? ajouta-t-elle avec une perfidie voulue.

Hugh plissa les paupières.

— Non, dit-il après une hésitation. Je suis joueur d'échecs.

— Faites une partie contre moi.

Une fois encore, il hésita. Elle dit, tout sourires :

— Vous savez que vous ne pourriez pas gagner, je suppose.

Enfin, il mordit à l'hameçon !

— Bon, très bien, on joue.

— Contre un gage ?

— Pas question d'une partie de strip-échecs, marmonna-t-il.

— Bien sûr que non. Je pensais juste à un gage, histoire de pimenter la partie, assura-t-elle en souriant.

Il lui décocha un regard aussi glacial que sceptique, mais alla tout de même prendre l'échiquier pour l'installer sur la table de la cuisine. Sydney disposa des bougies de part et d'autre pour éclairer le jeu.

— Bon, eh bien, à vous de choisir, dit-elle. Si vous gagnez, vous aurez ce que vous voulez. Alors, c'est quoi ?

— Comment ça ?

— Il n'y a pas de piège, McGillivray ! L'enjeu est clair et net : si vous gagnez, vous avez ce que vous voulez. Si je vous bats, c'est moi qui ai ce que je veux.

— Je peux obtenir ce que bon me semble ?

— Ce que bon vous semble, se hâta-t-elle d'assurer. Du moment que c'est légal.

Elle se moquait bien de ce qu'il pouvait décider, car il ne l'obtiendrait jamais ; elle n'avait pas été championne d'échecs pour rien !

— Bon. Si je gagne, vous remettrez mes affaires dans l'état où vous les avez trouvées.

— Un état de bordel aggravé, vous voulez dire ?

— Je veux dire que vous allez me restituer ma vie d'avant.

— Si vous y tenez, concéda-t-elle avec un soupir appuyé.

Il parut satisfait et s'attabla face à elle.

— Et pour le cas hautement improbable où vous gagneriez, mademoiselle St John, dit-il avec un sourire en coin, quel désir voulez-vous voir exaucé ?

— Je veux que vous fassiez l'amour avec moi.

9.

Hugh la dévisagea.

— Ha ! Ha ! Très drôle.

— Je parle sérieusement. Si je gagne, je veux que vous…

— J'ai très bien entendu, Sydney. Ne jouez pas à l'allumeuse.

— Je ne fais pas de provocation ! Je suis tout à fait sérieuse.

— Alors, tirez un trait là-dessus. Ça ne se produira pas.

— Pas si vous me battez, c'est sûr.

Il lui décocha un regard noir et ses doigts pianotèrent sur la table. Elle haussa les épaules et proposa, car elle pouvait s'offrir le luxe d'être magnanime :

— Vous pouvez ouvrir le jeu, si vous voulez.

— Pas de préséance pour les dames ? ironisa-t-il.

— Je n'ai pas du tout l'intention de vous faire de cadeaux, insista-t-elle en faisant tourner l'échiquier de manière à placer les blancs devant Hugh.

— Figurez-vous que je n'en suis pas surpris ! Eh bien, puisque vous y tenez, j'ouvre le jeu, persifla-t-il.

Se saisissant d'un cavalier, il le plaça devant sa rangée de pions.

— Vous êtes sûr d'avoir déjà joué aux échecs ? demanda-t-elle en enregistrant le mouvement avec ébahissement.

Il la regarda dans les yeux ; une étrange lueur dansait dans ses pupilles, à la lumière des bougies.

— Certain.

— Peut-être, mais…

122

— Vous revenez sur votre idée ? Vous avez la frousse ?

— Bien sûr que non ! Je ne voudrais pas vous démoraliser, c'est tout.

Hugh eut un sourire en coin puis, se rencognant dans son fauteuil, lâcha avec un haussement d'épaules désinvolte :

— C'est à vous, mademoiselle St John.

Elle avança l'un de ses pions.

Sydney St John jouait aux échecs exactement comme hugh l'avait pressenti : avec prudence et compétence, en établissant une stratégie et en anticipant les coups de l'adversaire. Tout à fait comme Lachlan. A l'instar de son frère, elle prenait le temps de la réflexion et savait défendre ses intérêts. Pour emprunter une comparaison au tennis, elle assurait sa position en fond de court. Lui, il avait toujours été un attaquant, aimant à monter au filet. Il effectuait des mouvements téméraires, cherchant l'ouverture, et n'hésitait pas à se montrer imaginatif si nécessaire. Il jouait vite, sans réflexion apparente, comme à l'instinct…

Une heure s'écoula, puis une deuxième. C'était au tour de Sydney, et elle réfléchissait. Hugh se leva, fit craquer les jointures de ses doigts et finit par aller s'allonger sur le canapé en lâchant :

— Réveillez-moi quand vous aurez décidé.

— Silence, marmonna-t-elle, levant une pièce d'une main hésitante, puis la reposant et recommençant à réfléchir.

Hugh se mit à siffloter.

— Arrêtez, à la fin ! s'insurgea-t-elle.

— Bon, très bien.

Lorsqu'elle se décida enfin, il vint regarder l'échiquier. Bingo ! Exactement ce qu'il avait pensé qu'elle ferait. Sans même s'asseoir, il allongea le bras et déplaça sa tour.

Sydney ne put refouler le sourire qui lui montait aux lèvres. Hugh s'était réinstallé sur le divan en affectant de s'éventer avec un magazine. Cette fois-ci, elle ne prit guère le temps de méditer son coup. Avec un long soupir, elle fit avancer son fou pour faire barrage à la tour. Puis, se carrant sur son siège, elle annonça en décochant à Hugh un sourire de jouissance béate :

— Echec.

Il posa sa revue et vint à pas lents considérer l'échiquier avant de la regarder, elle. Elle lui répondit par un sourire jusqu'aux oreilles.

Se rasseyant, il fit franchir trois cases à sa reine puis leva les yeux vers Sydney, dont le sourire était en train de s'effacer.

— Echec et mat, laissa-t-il tomber.

« Sois fier de toi », se dit-il. Tu as gagné, crétin. Que venait-il de remporter ? Une nuit seul au lit ! Vraiment pas de quoi pavoiser !

« Et puis zut ! » songea-t-il encore en se rebellant contre ses propres regrets. Il allait retrouver sa bonne vieille vie d'avant, non ? C'était *ça* qu'il avait gagné. Il recouvrait le droit d'agir à sa guise, de laisser traîner la vaisselle dans l'évier s'il le voulait, d'oublier ses vêtements sur une chaise, de n'avoir de comptes à rendre à personne, de pouvoir aller et venir sans que quiconque se soucie de lui et, s'il s'aventurait en pleine tempête, ne se demande s'il avait survécu ou non ! C'était tout ça qu'il avait, *avant* Sydney St John.

L'ennui, c'est qu'il n'éprouvait pas l'envie de retrouver son ancienne vie ! Il commençait à comprendre qu'il s'était laissé aller sur le plan de l'ordre par réaction contre son existence à l'armée, trop austère et rigide, mais ce nouvel excès ne lui convenait pas.

Il avait aussi pris plaisir à trouver à la maison, à la fin de la journée, quelqu'un qui l'attendait et se souciait de lui. Et il ne lui était pas indifférent que ce quelqu'un fût Sydney !

Il aimait bien faire des balades le long de l'océan avec elle, ou lui apprendre à appâter le poisson. Bien sûr, elle mettait un point d'honneur excessif à se montrer « bonne élève », mais cela ne lui déplaisait pas : il était même très amusant de lui servir de professeur ! De la taquiner sur son zèle et de la faire rire…

Et puis, il y avait quelque chose de spécial dans le fait de compter pour quelqu'un, d'être important à ses yeux. Hugh n'avait jamais trop réfléchi à ça jusqu'au jour où il avait vu de quelle façon Carin regardait Nathan — en femme à qui il manquerait quelque chose d'essentiel si cet homme ne faisait pas partie de sa vie. Il en allait de même pour Lachlan et Fiona : il suffisait de les voir ensemble pour le comprendre…

Hugh osait admettre que parfois Sydney l'avait regardé ainsi que Carin ou Fiona regardaient leurs maris respectifs : ses yeux s'éclairaient dès qu'elle le voyait venir, s'il la surprenait assise sous le porche, et elle se levait pour se porter à sa rencontre.

Seulement, elle ne manquait jamais de lui gâcher la vie en lui annonçant quelque nouvelle mesure de son cru pour régenter son quotidien, bon sang !

« Tu es beaucoup mieux sans elle », voulut-il se persuader, allongé sur son lit, le regard braqué au plafond, tandis que le vent hurlait au-dehors et que la pluie faisait rage.

C'était vrai, qui plus est. Sydney St John était une femme d'affaires en vue, une décideuse aux multiples talents, que son esprit d'entreprise poussait toujours en avant et qui quitterait un jour Pélican Cay, quoi qu'elle pût prétendre. Si elle était restée sur cette île, ce n'était pas à cause de son père ou de Roland Carruthers. C'était pour faire ses preuves, pour être elle-même, et c'était précisément ce à quoi elle s'employait.

Si elle voulait faire l'amour avec lui, c'était probablement pour une raison analogue ! Cherchait-elle à relever un défi qu'elle s'était lancé à elle-même ? Voulait-elle prouver qu'elle pouvait obtenir ce qu'elle voulait quand elle s'en donnait la peine ?

Hugh s'agita, s'efforça de réfléchir et de trouver des réponses, mais il était las. La partie d'échecs l'avait vidé de son énergie. Il ne fonctionnait plus qu'à l'instinct… et son instinct ne lui disait qu'une chose : il désirait Sydney St John.

« C'est parce qu'il y a une fuite d'eau », pensa Sydney. Si elle avait le visage humide, ce n'étaient pas des larmes ! Cela n'avait rien à voir avec son humiliation !

Dire qu'elle avait mis son cœur à l'encan — son corps, mieux valait ne pas en parler ! Dire qu'elle s'était offerte à Hugh McGillivray… et qu'il avait été si effaré à l'idée de coucher avec elle qu'il avait réussi, par quelque tour de force inouï, à remporter la partie !

Franchement, elle ne comprenait toujours pas comment il y était parvenu. Il avait joué de façon si peu orthodoxe qu'elle avait été totalement déroutée. Comment pouvait-on se défendre contre une attaque qui ne relevait d'aucun système établi ? Car Sydney était certaine qu'il n'avait suivi aucun plan. Il avait eu une chance de tous les diables, c'est tout, et le résultat, c'est qu'elle avait subi une humiliation cuisante !

Oh ! elle avait su faire bonne figure ! S'il lui avait fallu plusieurs secondes pour recouvrer la faculté de parler, c'était avec décontraction qu'elle avait déclaré :

— Chapeau. Félicitations !

Puis elle s'était levée et dirigée vers la chambre.

— Où allez-vous ?

— Je vais chercher les vêtements propres pour les flanquer sur un fauteuil, et puis je…

— Oh ! bon sang, laissez tomber ! Ils retrouveront le fauteuil bien assez tôt.

— Mais…

— Laissez tomber, je vous dis !

Elle avait donc renoncé et commencé machinalement à rassembler les pièces du jeu mais elle s'était aussitôt interrompue : il voudrait que l'échiquier traîne, comme le reste ! Eh bien, tant mieux, cela ferait une corvée de moins pour elle !

Après avoir donné une caresse à Belle et souhaité bonne nuit à Hugh même si elle avait eu du mal à le regarder dans les yeux, elle s'était réfugiée dans sa chambre. Maintenant elle s'agitait dans son lit, s'obstinant à chercher le sommeil. Or, il y avait bel et bien une fuite au plafond, bon sang !

Par-dessus le marché, voilà que la porte de la chambre se mettait à grincer, et qu'elle s'entrebâillait.

— Belle ?

126

— Non, ce n'est pas Belle, grommela la voix bourrue de Hugh McGillivray.

Il traversa la pièce sans un mot de plus et se laissa tomber lourdement sur le lit, à côté d'elle.

— C'est bon, dit-il, vous avez gagné.

— Comment ça ?

Elle tenta de se redresser, mais il la maintint contre les oreillers d'un bras ferme.

— Mais qu'est-ce que vous faites ? s'écria-t-elle.

— J'abdique, murmura-t-il à son oreille. N'est-ce pas ce que tu voulais ?

Là-dessus, ses lèvres s'unirent aux siennes. Ce fut un baiser aussi emporté, aussi farouche et exigeant que le premier qu'il lui avait donné. Cependant, Sydney s'en souvenait à peine, tant les sensations du présent et le vertige de leur échange la consumaient. L'entourant de ses bras, elle l'attira plus étroitement contre elle.

Il tressaillit tout à coup et s'écarta d'elle en s'écriant :

— Mais bon sang ! Le plafond goutte !

— Je vais aller chercher une casserole…

Déjà, il s'était remis debout et la soulevait entre ses bras, l'emportant vers sa propre chambre. Là, une glace contre le mur reflétait la lueur de la bougie qui brûlait sur la table de nuit, répandant un éventail de lumière dorée dans la pièce. Il déposa Sydney sur le lit. Tandis qu'il se dévêtait en quelques gestes rapides, elle contempla son visage viril et son corps musclé, dont les lignes superbes étaient soulignées par les jeux d'ombre.

Il s'allongea près d'elle et dit d'une voix à la fois empreinte de désir et résolue :

— Que les choses soient claires. Je me moque de ce qui peut arriver. La maison peut s'envoler si ça lui chante, les Aliens peuvent débarquer. Peu importe. Le point de non-retour est atteint. Je te fais l'amour ce soir.

Lorsqu'elle posa une main sur le torse de Hugh, Sydney sentit son cœur battre à grands coups sous sa paume. Au bout d'un instant, son toucher léger se mua en caresse…

Il saisit cette main et déclara :

— Nous allons jouer cet échange comme tu joues aux échecs.

— C'est-à-dire ?

— En prenant notre temps, répondit-il avant d'embrasser de nouveau ses lèvres.

Un lent sourire se dessina sur son visage quand il ajouta :

— Je tiens à rattraper le temps perdu. Il y a des jours que je ne pense qu'à ça...

Puis il commença à la dévêtir.

— Vraiment ? s'enquit-elle. Et à quoi d'autre pensais-tu ?

— A ça, par exemple, murmura-t-il en aventurant sa main sur l'un de ses seins, libérés du fin tissu qui les emprisonnait.

Quelques minutes plus tard, Sydney n'était plus consciente des hurlements du vent ni du martèlement de la pluie. La seule tempête était celle qui, crescendo, déchaînait ses sens. Celle qui les emportait, sur ses vagues déferlantes, vers les rivages mystérieux et exaltants du plaisir...

« Seigneur, quel gâchis ! »

Ce fut la seule pensée cohérente de Hugh, quand, après l'amour, il enlaça Sydney et la garda serrée contre lui. Il n'avait plus conscience que du battement sourd de son propre cœur et des sensations qui continuaient à traverser son corps encore frémissant...

Il venait de vivre une expérience inouïe, la plus extraordinaire sans doute de toute son existence. Et pourtant... c'était une erreur.

Sydney s'était endormie, apparemment heureuse puisqu'elle souriait dans son sommeil.

Lui, par contre, ne souriait pas. Il savait qu'il n'aurait pas dû agir comme il venait de le faire, mais il était trop tard pour revenir en arrière...

Il était allé rejoindre Sydney parce qu'elle l'avait provoqué, parce qu'il la désirait depuis des jours et des jours, et parce qu'il n'avait aucune prise, aucun moyen de se défendre de son propre désir.

128

« Couche avec elle, bon sang ! » s'était-il dit. Puisqu'elle ne demande pas mieux.

C'est ainsi qu'il avait balayé ses scrupules, ceux-là même qui l'avaient pourtant arrêté lorsqu'il s'était agi de Lisa Milligan. Oui, il avait fait l'amour à Sydney St John, et pour de mauvaises raisons.

Pour de très bonnes raisons aussi, et c'était justement le plus effrayant. Il était amoureux d'elle !

Au lieu de s'en délivrer, il venait de renforcer l'emprise qu'elle avait sur lui. Il l'avait dans la peau, elle le marquait de son empreinte, plus profondément qu'aucune femme, jamais, ne l'avait fait. Pas même Carin. C'était bien pire, en fait, que du temps où il s'était épris de Carin Campbell !

Carin, il l'avait désirée des années durant sans lui faire l'amour. Du moins, il l'avait cru car, aujourd'hui, aucune autre ne comptait que Sydney St John.

Il la revoyait dans ses bras, emportée par la passion et frémissante, et s'avouait qu'aucune femme, jamais, ne l'avait affecté à ce point. Il ne savait même plus que Carin Campbell existait.

Ce qu'il avait ressenti à son égard n'était qu'un rêve sans consistance, le fantasme d'un homme très jeune qu'un espoir sans cesse déçu avait amené à cristalliser des sentiments erronés sur une femme qui n'était pas faite pour lui et ne pourrait jamais être l'élue…

C'était entièrement différent de ce qu'il ressentait, de ce qu'il *vivait* avec Sydney. Il lui avait fait *l'amour*. C'était elle, la femme dont il était véritablement amoureux.

Malheureusement, cela ne l'avançait pas à grand-chose ! Il connaissait ses propres forces et faiblesses ; il savait qu'il ne consentirait jamais à être seulement « Monsieur le Mari », tandis que sa femme dirigerait St John Electronics. Si tant est qu'une telle situation soit possible, car Sydney ne voudrait jamais l'épouser !

Ils s'étaient servis l'un de l'autre, dès l'instant où ils s'étaient connus. Elle s'était servie de lui pour ne pas épouser Roland Carruthers et lui s'était servi d'elle pour empêcher Lisa Milligan de s'imposer dans sa vie.

Par ailleurs, Sydney était une femme passionnée, Hugh en était conscient. Il y avait eu entre eux, dès la première seconde, une indéniable, une incroyable alchimie sensuelle.

Peut-être avait-elle voulu tout simplement y céder… « Qui veut la fin veut les moyens » disait le proverbe. Dans leur aventure, il n'y avait pas de place pour un « je t'aime », pas de place pour le mot « amour ».

Hugh était diablement silencieux. Sydney ne l'avait jamais vu ainsi. Elle le savait épuisé par son vol de retour depuis Miami, bien qu'il prétendît le contraire, et elle savait aussi que leur échange passionné, presque désespéré, l'avait profondément marquée. Il semblait donc logique de supposer que cela l'avait secoué lui aussi.

Cependant, après, elle avait dormi. Mais lui, en avait-il fait autant ? Cela, elle l'ignorait…

Chaque fois qu'elle avait levé les yeux vers lui, il fixait le vague… Lorsqu'elle avait glissé la main sur sa joue, ou murmuré son nom, il avait consenti à la regarder brièvement et souri, mais avec tristesse, avec distance…

« Il n'a pas pu me faire l'amour ainsi sans éprouver de l'amour pour moi », pensa-t-elle. N'est-ce pas ?

Ils avaient partagé une nuit entière, ils étaient restés enlacés toute une nuit, mais Hugh n'avait prononcé aucun des mots qu'elle désirait entendre. Et ce matin, à son réveil, il n'était plus là.

D'abord désorientée, elle crut un instant avoir rêvé. Puis elle l'entendit au-dehors, occupé à parler à quelqu'un, et se reprit à espérer.

Après s'être apprêtée, elle sortit sous le porche et découvrit qu'il avait tout remis en ordre : le hamac, la balançoire, les magazines… Il avait pourtant affirmé vouloir revenir à sa vie d'avant, retrouver son univers, et non celui qu'elle avait réorganisé pour lui !

Elle l'aperçut qui balayait l'allée dallée, chassant le sable qui ne cessait de s'y accumuler à grands coups de balai furieux et esquissa un petit sourire.

— Bonjour, dit-elle.

Hugh tressaillit, se retourna, mais répondit simplement : « Bonjour », d'un air indéchiffrable.

Elle faillit lui parler des objets qu'il avait remis en ordre sous le porche mais préféra y renoncer et se contenta de dire avec décontraction :

— Il fait si beau ! C'est si frais et si tranquille ! On ne croirait jamais qu'il y a eu une tempête. Une seule nuit a tout changé.

Leurs regards se croisèrent, se rivèrent l'un à l'autre, et Sydney fut certaine, cette fois, qu'il pensait comme elle que tout avait changé entre eux depuis la veille. Elle n'avait, en revanche, pas la moindre idée de sa réaction intime en ce qui concernait ce fait et n'escomptait pas qu'il le lui dirait !

Il se contenta de marmonner :

— Ouais.

Puis il se tourna vers la mer, qui venait tranquillement rouler sur le rivage, en ajoutant :

— Turk Sawyer vient de passer. Il voulait savoir si ça te dirait d'aller faire de la « récup' » avec lui et les Cash.

— De la « récup' » ?

— Ramasser du bois échoué après la tempête. Ils vont en vadrouille, ce matin, et ils ont pensé que tu aimerais les accompagner. Ils sont sur la plage, là-bas. Tu peux les voir d'ici.

Il eut un mouvement du menton. Suivant la direction qu'il indiquait, Sydney distingua, au-delà des buissons, trois minuscules silhouettes qui avançaient lentement le long du rivage. L'une d'entre elles poussait une brouette.

— Ça leur ferait plaisir que tu les rejoignes, selon Turk, ajouta Hugh, comme s'il semblait surpris par cette proposition.

L'invitation fit plaisir à Sydney. Cela signifiait qu'elle avait établi un véritable contact avec Turk et les frères Cash. Elle n'avait donc pas perdu son sens des relations ni son flair ! Enfin… avec la plupart des gens, en tout cas. En revanche, elle n'était pas très sûre « d'avoir le feeling » avec Hugh. Elle aurait aimé qu'il lui sourie, qu'il abandonne son balai et vienne la prendre dans ses bras.

Cependant, elle ne voulait pas avoir l'air d'exercer de pression sur lui. Si elle allait rejoindre Turk et les autres, cela donnerait peut-être à Hugh le temps de réfléchir à ce qui s'était passé entre eux. Ou alors, il la retiendrait auprès de lui pour la matinée…

— Je crois que je vais y aller, dit-elle. A moins que tu ne préfères que je reste ici ?

Loin de mordre à l'hameçon, il se contenta de répondre avec un haussement d'épaules, tout en se remettant à balayer :

— Fais comme tu voudras.

« Il paraît qu'il est bénéfique de s'activer lorsqu'on a une obsession en tête mais pour moi, ça ne fonctionne pas fameusement », songea Hugh qui, après avoir balayé, nettoyé, rangé, réparé, s'activait à présent sur le toit, d'où il pouvait jeter un coup d'œil sur Sydney et ses compagnons.

Il avait été surpris par la venue de Turk. Turk et les Cash n'étaient pas des reclus, mais ils n'étaient pas très expansifs. De toute évidence, Sydney les avait charmés, avait su s'intéresser à leur travail, et il était clair qu'elle avait beaucoup impressionné les trois vieux ours.

— Elle a la manière, avait dit Turk.

Hugh était prêt à l'admettre : n'avait-il pas été charmé, lui aussi ? En fait, il était comme prisonnier d'un sortilège… Cela allait même beaucoup plus loin, en réalité. Il était amoureux, il désirait Sydney et ne cessait de penser à elle, elle l'obsédait…

Tout en travaillant, il leva fréquemment les yeux vers le quatuor qui longeait la grève et savoura le spectacle.

Sydney semblait si heureuse ! A plusieurs reprises, il la vit courir à la rencontre des vagues, sautillant et riant, et parfois même, valsant avec l'un des jumeaux Cash.

A un moment donné, elle avait regardé dans sa direction, et l'avait hélé d'un grand geste. Il s'était senti en faute, comme si elle l'avait surpris en train de commettre une sorte de délit et, au début, avait ignoré son salut. Finalement, comme elle continuait d'agiter le bras, il avait répondu avec gaucherie. Elle lui avait souri avant d'entraîner Turk dans une petite valse.

Hugh se demanda s'il était réellement possible qu'elle fût heureuse à Pelican Cay et envisageât sérieusement de s'y installer. Si elle pouvait prendre plaisir à une matinée de balade à la plage, en quête de bois flotté en compagnie de trois hommes âgés, alors ce n'était plus une utopie…

— Je suis bien chez McGillivray ?

Du haut de son toit, Hugh baissa les yeux vers l'homme qui venait de poser cette question. C'était un inconnu d'âge mûr, grand et bien bâti, vêtu d'un pantalon blanc et d'une chemise bleue à col ouvert.

« Un client de la haute que la tempête a coincé sur l'île », se dit Hugh. Un homme qui était à présent pressé de décoller pour rentrer chez lui.

Encore une balade en perspective ! Eh bien, elle tombait à point nommé ; il éprouvait le besoin de prendre un peu de recul.

— Exact. Je suis bien Hugh McGillivray, répondit-il à l'homme en lui adressant un sourire. Que puis-je pour vous ?

— Me dire où je peux trouver Margaret St John. Je m'appelle Roland Carruthers.

10.

L'espace d'un instant, Hugh eut l'impression que le monde s'effondrait. Sans doute devait-il paraître aussi hébété qu'il l'était, car Roland Carruthers, tapant d'abord du pied d'un air impatient, finit par hausser les épaules en disant :

— Bon, laissez tomber ! On a dû me donner une information erronée. Au revoir.

Il se détournait déjà pour s'éloigner vers la route.

— Hé ! attendez !

— Oui, qu'est-ce qu'il y a ? s'écria Carruthers en faisant volte-face. Vous savez où elle est ?

Hugh, qui voyait distinctement Sydney au loin sur la plage, se garda de le préciser. Il essuya ses mains sur son short puis répondit, le cœur battant :

— Possible. Que lui voulez-vous ?

Carruthers eut une hésitation avant d'admettre :

— Je veux lui parler. En privé. Au sujet d'une affaire personnelle. Alors, si vous voulez bien me dire où elle habite…

— Elle vit ici.

— *Ici ?*

Ce fut tout juste s'il ne plissa pas les lèvres d'un air dégoûté.

— Exact, dit Hugh qui, de son perchoir, était en bien meilleure position pour prendre l'air dédaigneux. Ça vous pose problème ?

Les deux hommes échangèrent un regard hostile. Carruthers finit par reculer d'un pas ou deux en serrant les mâchoires.

— Non, répondit-il enfin. Je suis sûr qu'elle vous est très reconnaissante de votre hospitalité. Je vais prendre ses affaires.

Hugh posa le marteau qu'il tenait, s'accroupit sur le rebord du toit et, au grand étonnement de son visiteur, sauta et atterrit dans le sable, pile devant lui.

— Ça m'étonnerait diablement, répondit-il avec désinvolture.

Carruthers le dévisagea, partagé, semblait-il, entre nervosité et irritation.

— Très bien. Si vous ne voulez pas que je les prenne tout de suite, j'attendrai tout simplement qu'elle revienne.

Glissant les pouces dans les passants de sa ceinture, Hugh examina Roland Carruthers avec attention. Il avait cru que Sydney avait exagéré l'arrogance du personnage et constatait à présent qu'il n'en était rien. De toute évidence, ce type était un crétin prétentieux de première bourre !

— Vous pouvez attendre autant qu'il vous plaira, lui dit-il. Mais n'allez pas imaginer qu'elle sera ravie de vous voir.

— Je suis sûr que vous faites erreur. Je pense qu'elle en sera extrêmement contente, au contraire. Je suis son fiancé.

— Non, vous ne l'êtes pas.

— Je vous demande pardon ? demanda Roland Carruthers avec une hauteur consommée. Je ne vois vraiment pas ce qui vous permet d'affirmer cela, monsieur McGillivray.

Hugh répondit tranquillement :

— Le fait que je suis son mari.

— Nous sommes mariés ? s'exclama Sydney qui n'en croyait pas ses oreilles.

Elle avait été très surprise de voir débouler Hugh sur la plage un instant plus tôt et contrariée d'apprendre que Roland Carruthers l'attendait dans la maison. Toutefois, s'il était une chose qui la perturbait plus encore, c'était d'avoir entendu Hugh McGillivray lui annoncer : « Je lui ai dit que nous étions mariés. »

— Nous sommes mariés ? répéta-t-elle avec un étonnement persistant.

— C'est ce que je lui ai dit, rectifia Hugh. Tu sais aussi bien que moi que nous ne le sommes pas.

— Euh… non, bien sûr. Je… je ne comprends pas, dit-elle en secouant la tête comme pour reprendre ses esprits.

Il était venu la trouver en déclarant à Turk et aux Cash que Sydney avait une affaire urgente à traiter à la maison. Ceux-ci avaient cligné de l'œil et souri.

— Gare à ne pas faire des choses que nous réprouverions !

— L'avertissement arrive trop tard ! avait répondu Hugh du tac au tac.

Ensuite, il l'avait saisie par la main pour l'entraîner vers la maison et, en chemin, lui avait lâché sa petite bombe.

— Mais… pourquoi ? balbutia-t-elle.

— Parce qu'il s'imaginait que tu serais folle de joie de le revoir. Parce qu'il n'a toujours rien compris. Parce que c'est un coq de basse-cour dressé sur ses ergots, un minable prétentieux !

— La description est parfaite, admit-elle. Mais je…

— Comment as-tu pu bosser avec un type pareil ?

— Ce n'est pas moi qui l'ai engagé, c'est mon père. Et il est bon dans sa partie.

— Alors, ça excuse tout ?

— Bien sûr que non ! C'est la vérité, voilà tout. C'est un excellent homme d'affaires, déclara Sydney.

Elle ajouta, après un temps d'arrêt :

— Mais ça ne signifie pas que je veuille l'épouser.

« Autant être claire », pensa-t-elle. D'ici à ce que Hugh aille s'imaginer le contraire !

Puis elle reprit avec curiosité :

— Il t'a cru ?

— Non, reconnut Hugh, visiblement contrarié. Il a dit qu'il ne voyait vraiment pas ce qu'une femme aussi sensée que toi pourrait trouver à un crétin dans mon genre.

136

Sydney ne douta pas un instant que la citation ne fût fidèle au terme près.

— Ce n'est pas le tact qui l'étouffe, dit-elle.

— Je m'en fiche. Je lui ai répondu que s'il ne me croyait pas, il pouvait toujours te poser la question. En fait, je lui ai dit qu'il pouvait rester avec nous pendant son séjour sur l'île.

— Quoi ?

— Une démonstration est plus parlante que de longs discours, non ? s'énerva Hugh.

Il posa sur elle un regard dur et demanda :

— A moins que tu ne veuilles le suivre ?

— Evidemment pas !

— Eh bien… je n'ai pas eu l'impression que c'était le genre de type avec qui on peut discuter. Tu es toi-même de cet avis.

— Certes. Il va rester longtemps ?

— Il prétend qu'il reprend l'avion pour Miami demain.

— Je vois. Et d'ici là, nous ferons semblant d'être mariés ?

— Juste pour un jour, dit Hugh en haussant les épaules. Ce n'est pas une affaire.

Un jour. Pas une affaire…

« Mais je veux une vraie demande en mariage, moi ! » pensa Sydney.

Elle voulait épouser Hugh McGillivray. Pour de bon. Et vivre avec lui, occuper son cœur et son lit pour le reste de ses jours ! Mais lui, que cherchait-il ?

— A toi de voir, reprit Hugh. Si tu ne veux pas lui jouer la comédie, très bien. J'ai seulement voulu te rendre le même service que tu m'as rendu au sujet de Lisa.

« Est-ce bien ce qui le pousse ? » se demanda Sydney. A vrai dire, elle n'en savait rien ; elle n'avait jamais très bien compris les motivations de Hugh McGillivray.

Un jour. Rien qu'un jour. Une supercherie. Voilà ce qu'il proposait.

« Après tout, il faut bien commencer par quelque chose », se dit-elle.

137

En apercevant au loin Roland qui attendait sous le porche, elle s'immobilisa. Puis, prenant à deux mains le visage de Hugh, elle l'attira à elle et l'embrassa éperdument. Il parut presque sonné.

— Pour le cas où Roland nous regarderait… dit-elle avec un sourire.

Roland regardait, certes.

Il ne croyait pas à l'affirmation de Hugh ; il avait des soupçons, mais ne pouvait guère accuser son hôte de mensonge ! Par ailleurs, il se sentait vraiment soulagé de constater que Sydney était bien vivante…

— Tu aurais pu te manifester plus tôt, lui reprocha-t-il en la suivant dans chacun de ses mouvements, tel un chien de garde, tandis qu'elle s'activait à la préparation du dîner dans la petite cuisine. J'ai eu très peur, Margaret. Je me suis fait un sang d'encre.

— Désolée, répondit Sydney d'une intonation qui ne laissait pas percer le moindre regret. Des spaghettis, ça te va ? Sinon, je peux joindre Hugh sur son portable et lui demander de rapporter des plats cuisinés du Mirabelle, en revenant.

Roland était descendu au Mirabelle en arrivant à Pelican Cay. Après avoir identifié l'origine du coup de fil qu'elle avait adressé à son père, il s'était fait conduire en taxi dans « le meilleur hôtel », convaincu de l'y trouver. C'était l'hôtesse de la réception, Lisa Milligan, qui l'avait orienté vers Hugh McGillivray.

— Lisa Milligan ne vous croit pas mariés, elle ! assena-t-il à Sydney.

— Ça prouve juste qu'elle ne sait pas grand-chose, répliqua-t-elle tranquillement.

Roland la regarda préparer le repas, non sans surprise.

— Je ne t'ai jamais vue cuisiner, dit-il enfin. Je n'ai jamais mangé un plat de ta confection.

— Tu ne sais pas ce que tu perds. Je suis une excellente cuisinière. Je connais une quantité de recettes qui te surprendraient.

138

— Je n'en doute pas, je t'ai toujours trouvée douée. Mais revenons à nos moutons. Le passé est le passé, d'accord ? Nous ne reparlerons plus de ce qui s'est produit sur le yacht. Quand tu rentreras…

Sydney, qui assaisonnait sa sauce tomate, se tourna un instant vers lui pour le regarder bien en face.

— Je ne rentrerai pas, Roland. J'ai donné ma démission. Papa t'en a sûrement informé.

— Il prétend que tu ne savais pas ce que tu racontais.

— Je le sais parfaitement, au contraire ! Je reste ici.

— Tu es perturbée, tu ne sais pas où tu en es, déclara Roland comme s'il n'avait rien entendu.

— Je l'étais, en effet, mais c'est fini. J'ai une vie bien à moi, maintenant. Il va falloir que vous l'acceptiez, papa et toi.

— Mais tu adorais ton boulot ! Tu as l'entreprise dans le sang ! Ce n'est pas parce que tu t'es entichée de ce plouc mal dégrossi…

Le regard qu'elle lui décocha l'arrêta net sur sa lancée. Après un temps de silence, il reprit :

— Il n'est pas mal physiquement, je l'admets. Et j'imagine qu'il peut se montrer charmant, aux moments où il n'a pas l'air de vouloir m'égorger. Mais que fait-il ? Il est récupérateur d'épaves ?

— Pas du tout. Il est pilote. Il possède sa propre affaire.

— Et je suis sûr que c'est une petite entreprise qui marche bien. Mais ça n'a rien à voir avec St John Electronics. Ecoute, je sais que tu étais furieuse contre moi, et tu avais le droit de l'être. Je me suis peut-être montré un peu trop dirigiste dans l'organisation de notre mariage. Cela dit, je te connais bien, Margaret. Tu es trop sensée pour partir ainsi. Et tu n'as pas vraiment épousé ce type.

Roland avait parlé comme s'il était sûr de son affirmation. A présent il souriait, en homme qui tourne la chose en plaisanterie.

— Si, je l'ai épousé. C'est l'homme que j'aime, dit-elle fermement, avec une conviction sincère.

Elle n'était peut-être pas officiellement l'épouse de Hugh McGillivray, mais elle était sa femme, corps et âme, autant qu'il était possible de l'être !

— Juste ciel ! C'est à croire qu'il t'a fait un lavage de cerveau. Si tu l'as épousé, ça peut toujours s'annuler. S'il t'a contrainte à…

— C'est toi qui as tenté de me contraindre ! coupa-t-elle. Pas lui. Et j'en ai assez de devoir revenir là-dessus. Mets-toi bien ça dans le crâne : *je ne reviendrai pas chez St John !*

Il la regarda d'un air interdit puis hocha la tête en murmurant :

— Pauvre malheureuse pétrie d'illusions !

Après cela, Sydney l'ignora complètement. Il continua sans désemparer, lui parlant du magnifique avenir de l'entreprise, de son éducation et de son talent gâchés, des défis qu'elle aimait tant à relever et qui lui manqueraient…

— Tu prendras du parmesan râpé, avec tes spaghettis ? demanda-t-elle.

— Oh ! bon sang ! s'écria-t-il, exaspéré. Je me doutais bien qu'il n'y aurait pas moyen de te ramener à la raison. Très bien, venge-toi ! Boude deux semaines, boude un mois. Mais réfléchis à ce que tu quittes, et cesse de te fourvoyer ! J'arrangerai les choses avec ton père.

Sydney prit une profonde inspiration afin de se calmer. Il n'y avait décidément rien à tirer de cet homme ! Heureusement, Hugh fit son entrée à cet instant.

— J'ai vos affaires, dit-il à Roland en brandissant une valise en cuir, dont la patine chic-et-toc semblait avoir été artistement parachevée par quelque artisan de l'industrie du luxe. Je dépose ça dans la chambre d'amis.

Avant de mettre ses paroles à exécution, il contourna la table pour aller embrasser Sydney à pleine bouche.

Il agissait « pour la galerie », elle en était consciente, mais c'était si délicieux, si vrai, si naturel, qu'elle répondit avec élan, savourant l'odeur de mer et de soleil qui émanait de son corps viril. Tourneboulée par leur échange, elle le sonda du regard lorsqu'ils se séparèrent, en cherchant désespérément à deviner ce qu'il ressentait.

Il lui adressa un clin d'œil.

« Je mérite un oscar ! » pensa Hugh. S'il existait un prix pour le type qui se trouvait dans la situation la plus impossible du monde, c'était à lui qu'il fallait le décerner !

Qui plus est, il s'y était fourré tout seul dans cette situation ! S'il avait suivi son premier mouvement — sauter à bas du toit pour rouer de coups Roland Carruthers —, tout serait réglé, maintenant. Mais non, il avait fallu qu'il se montre civilisé ! Il n'aurait pas aimé que Sydney le traite de barbare…

Pourtant, la « barbarie » avait du bon, avec des types dans le genre de Carruthers. Cela valait infiniment mieux que de faire des grâces à un abruti de première, tout en prétendant être marié à la femme qu'on voulait et ne pouvait avoir !

« Je ferais mieux de consulter », se dit Hugh.

Au lieu d'aller trouver Doc Rasmussen, il était en train de passer sa soirée sur le divan, enlaçant Sydney et jouant le rôle de l'homme qui crève d'envie d'emmener sa femme au lit et se voit contraint de faire la conversation à un invité. Lequel n'avait pas plus envie que lui de l'entretenir, cette conversation !

C'était déjà passablement pénible, mais le pire se produisit après que Roland se soit retiré, à contrecœur, dans la chambre d'amis. Sydney et lui se retrouvèrent dans sa chambre, prêts à passer une nouvelle nuit ensemble.

Planté près de la porte, Hugh la regarda se déshabiller et mettre une chemise de nuit. Aucune provocation, pas le moindre appel érotique dans son attitude, mais il la désirait. Follement. Il savait qu'il la désirerait encore le lendemain, et le surlendemain, avec la même fièvre dévorante…

Il l'avait dans la peau. Rien de ce qu'il pourrait faire ne parviendrait à changer ça. Ce qu'il fallait, c'était la demander en mariage.

Elle était fichue de lui dire oui, d'ailleurs. Ne fût-ce que pour le remercier de lui avoir sauvé la vie en la repêchant. C'était bien de Sydney St John, une réaction comme ça.

Malheureusement, il était incapable de lui faire sa demande ! Il ne voulait pas d'un mariage fondé sur la gratitude ou les convenances. Il souhaitait un mariage d'*amour*.

— Tu viens te coucher ? demanda doucement Sydney. Ou tu comptes monter la garde devant la porte pendant toute la nuit ?

Assise sur le lit, cheveux lâchés, les seins joliment gainés par la dentelle de sa chemise de nuit, elle le regardait en souriant, d'un air d'attente, en femme qui désire être caressée. Seigneur ! comment résister à cet appel ?

— Je… je pourrais dormir dans le hamac, dit-il d'une voix rauque.

— Ça ferait plaisir à Roland.

— Il ne s'agit pas de Roland ! s'exclama-t-il sans pouvoir se dominer.

— Non, en effet. Hugh, viens, dit-elle en tendant une main vers lui.

— Tu… tu en es bien sûre ?

— Evidemment ! répondit-elle en souriant. Après tout, nous sommes mariés.

Vaincu, Hugh traversa la pièce tout en se débarrassant de ses vêtements. Puisque c'était ce qu'elle voulait, pourquoi refuser ?

Après, il aurait envie de mourir, il le savait. Quand elle serait partie et qu'il n'aurait plus que des souvenirs, il souffrirait comme un damné. Seulement pour l'instant…

Il se glissa entre les draps et, employant le langage du corps, lui donna tout ce qu'il avait à donner.

— Hugh, murmura-t-elle avec un sourire. Mon Hugh…

Il l'aima alors totalement, complètement, tandis qu'il la menait vers le plaisir ultime et qu'ils s'y abandonnaient ensemble, ne formant plus qu'un seul corps.

Plus tard, lorsqu'elle fut endormie entre ses bras, il sut qu'il lui appartenait pour toujours.

Roland fit une ultime tentative.

— Tu peux divorcer, suggéra-t-il à Sydney alors qu'il se tenait près de la Jeep, sa valise à la main.

Il était pâle et n'osait la regarder. Elle sourit et fit celle qui n'avait rien entendu.

— Au revoir, dit-elle en lui tendant la main. Merci pour tout.

— Merci de quoi ? répondit-il, surpris.

— De m'avoir ouvert les yeux. Si tu ne m'y avais pas contrainte, je n'aurais jamais découvert tout ce que je manquais.

Il parut sur le point de discuter, mais Hugh apparut alors sous le porche et déclara :

— Allons-y, Carruthers !

Du coup, Roland hocha la tête et murmura :

— J'espère que tu sais ce que tu fais, Margaret.

Son mariage d'un jour presque achevé, Sydney regarda s'éloigner en Jeep, sur la route cahotante, l'homme qu'elle aimait et celui qu'elle avait rejeté. De tout son cœur, elle espéra qu'elle ne s'était pas trompée.

Une demi-heure plus tard, Hugh était de retour.

Occupée à ranger la cuisine, elle sursauta en entendant claquer la portière de la voiture. Pendant son absence, elle n'avait cessé d'anticiper la scène : Hugh arriverait et lui adresserait ce demi-sourire en coin qui la rendait toute chose. Puis il la rejoindrait en quelques pas et l'embrasserait comme un perdu. Elle lui rendrait son baiser, bien sûr ! Ensuite, ils se regarderaient dans les yeux, et Hugh dirait :

— Ça a drôlement bien marché, hein ? Si on remettait ça pour de vrai ?

Sydney sourit à cette pensée et son pouls s'accéléra alors que le pas de Hugh résonnait sous le porche. Enfin il franchit le seuil de la cuisine.

Il eut son sourire en coin et elle ébaucha elle aussi un sourire, comme il s'exclamait :

— Ça a drôlement bien marché, hein ?

Elle hocha la tête et attendit…

Hugh alla donner une caresse à Belle, puis se redressa et dit :

— Je suppose que nous voilà quittes. Je vais me baigner un moment. Ensuite, je dois emmener quelqu'un à Freeport. Je passerai sûrement la nuit là-bas. Belle !

Il prit une serviette, siffla la chienne, décocha un clin d'œil à Sydney, et s'éclipsa.

« Bravo pour le flair ! » ironisa amèrement Sydney en son for intérieur, tandis qu'elle faisait les cent pas dans la cuisine en luttant pour refouler ses larmes.

Elle n'était pas plus douée pour deviner les intentions des gens aujourd'hui qu'elle ne l'avait été le jour où Roland lui avait servi son numéro imprévu sur le yacht !

Certes, elle brillait en affaires. Elle savait motiver les troupes et les faire travailler harmonieusement. Cependant, dès qu'on en arrivait aux vraies relations, celles qui comptent, elle ne touchait pas une bille !

Hugh lui avait rendu service, pour la remercier de l'avoir aidé à se débarrasser de Lisa. Leur faux mariage n'avait pas tenu au-delà du temps nécessaire à la supercherie. En fait, elle n'était ni sa femme ni sa petite amie.

Il n'y avait qu'une chose authentique, dans leurs relations : l'amour qu'elle lui portait. Car elle l'aimait, hélas !

En cet instant, Sydney comprenait pourquoi Hugh lui avait dit que Pelican Cay était trop petite pour eux deux. Elle l'admirait d'avoir pu continuer à vivre sur la même île que Carin, qu'il aimait.

Pour sa part, cela lui serait impossible. Jamais elle ne pourrait feindre d'être gaie, d'être l'amie de Hugh et sourire chaque jour comme si cela lui suffisait !

Pour encaisser le choc, il lui fallait un territoire bien plus vaste. Pelican Cay était vraiment trop minuscule. En visant plus grand… l'Australie, par exemple… eh bien, qui sait ? Là, peut-être, elle pourrait survivre.

144

« Un lâche. Je suis un lâche… » pensa Hugh à 3 heures du matin, dans un hôtel de Freeport.

La vérité s'imposait enfin à lui.

La veille, à cette même heure, il avait fait l'amour à Sydney. Il l'avait aimée désespérément, passionnément, magnifiquement… et aujourd'hui, il regardait de vieux films à la télé, de très vieux films où des gens affrontaient leurs peurs, risquaient leurs cœurs, et trouvaient enfin l'amour de leur vie.

Il tenta de se dire que ce n'était que du cinéma, mais il savait bien, au fond, que ces films contenaient une vérité profonde. N'avait-il pas vu ses parents, son frère et Fiona, Maurice et Estelle, Nathan et Carin ? N'avaient-ils pas trouvé l'amour vrai, le véritable amour de leur vie ?

« Quand un homme trouve la femme de sa vie, il fait ce qu'il faut pour la garder », lui avait dit Lachlan.

« Seulement, il a fallu que je fasse le malin ! » songea-t-il. Qu'il fasse l'amour à Sydney, qu'il mente pour l'amour d'elle, qu'il joue la comédie du mariage parce qu'il crevait d'envie d'en faire une réalité… Et après ça, il avait eu la frousse de lui demander sa main !

Tout ça parce qu'il craignait qu'elle refuse et confirme ainsi ses pires peurs.

Les héros des vieux films affrontaient la possible catastrophe, eux, et ils en étaient récompensés.

Alors, qu'attendait-il donc pour en faire autant ? Pour savoir quel sort lui était réservé ?

— Comment ça, elle est partie ? Partie où ? s'exclama Hugh, criant presque.

Il foudroya son frère d'un regard noir mais Lachlan, affalé dans le fauteuil de son bureau, le regarda comme s'il était le vulgaire figurant d'un numéro de cirque.

— Elle ne l'a pas précisé, dit-il avec un haussement d'épaules. Elle est juste venue me dire ce matin qu'elle partait. Elle m'a assuré qu'elle s'occuperait toujours du développement de l'île, conclut-il avec satisfaction, comme si c'était la seule chose qui importait.

— Je m'en fiche, de ton développement ! s'écria Hugh. Pourquoi est-elle partie ?

— Peut-être parce qu'elle en avait sa claque de toi.

« Peut-être bien que oui », pensa Hugh, aussi abattu que s'il venait de recevoir un coup de marteau sur la tête.

Il n'avait pas dormi et n'arrivait pas à rassembler ses idées. Il s'était attendu à la retrouver, à la prendre dans ses bras, à lui dire qu'il s'était comporté comme le dernier des crétins… Apparemment, elle n'avait pas eu besoin de lui pour en arriver à cette conclusion.

Oh ! bon sang ! Il l'aimait et il l'avait perdue, sans même risquer son cœur dans la balance ! Ça le rendait malade ; il se sentait vidé, fichu.

— Il faut que je la retrouve ! s'exclama-t-il, plus pour lui-même que pour Lachlan.

Non, ce n'était pas possible… Ça ne pouvait pas être fini avant même d'avoir commencé !

— Je connais ce sentiment-là, soupira son frère qui l'observait. Bonne chance, frangin. Tu vas en avoir besoin !

Hugh s'était senti prêt à aller jusqu'au bout de la Terre pour retrouver Sydney, mais il n'aurait jamais imaginé qu'il devrait le faire !

« Que diable faisait-elle dans le Montana ? » se demanda Hugh, qui patientait nerveusement dans la salle d'attente en feuilletant magazine sur magazine.

Deux mois ! Il lui avait fallu deux longs mois pour retrouver Sydney. Huit semaines au cours desquelles il avait suivi la moindre piste, questionné tous ceux qui étaient susceptibles d'avoir des informations… et prétendaient ne rien savoir.

Jusqu'à ce que, de façon surprenante, Turk Sawyer déboule à la boutique, vingt-quatre heures plus tôt, et parle d'elle :

— Tu cherches toujours ta petite amie ?

— Oui ! Tu sais quelque chose ? Où est-elle, Turk ?

— Dans le Montana, il paraît. Elle dirige une affaire là-bas, si j'ai bien compris. Elle m'a déniché une boutique qui vend mes presse-papiers.

Si vague qu'elle fût, l'information avait suffi. Hugh n'avait pas mis longtemps à découvrir, sur Internet, l'existence de SJ Island Connections qui, si incroyable que cela puisse paraître, opérait à partir de Bozeman, Montana ! La compagnie, affirmait la page d'accueil du site, « reliait les gens et les productions, rendait la vie meilleure, améliorait le monde où nous v ivons. » C'était du Sydney tout craché, ça !

Il avait aussitôt décroché son téléphone et demandé à lui parler. Comme elle n'était pas là, il avait demandé un rendez-vous.

— A quel sujet ? avait demandé la réceptionniste.

— Je veux discuter… d'une proposition de fusion.

Après bien des atermoiements, il avait obtenu un rendez-vous pour le lendemain à 11 heures.

Il se trouvait dans la salle d'attente, à présent, et il était 11 heures passées d'une minute.

Sydney adorait le Montana, ses montagnes, ses vallées, son temps sans cesse changeant, ses paysages magnifiques. D'autant que c'était un endroit… très éloigné de Pelican Cay et où l'on ne trouvait ni océan, ni palmiers, ni hamacs, ni brises embaumées. Oui, le Montana était parfait et lui offrait une excellente base opérationnelle pour rayonner vers le monde entier. Elle pouvait tenter d'y refaire sa vie à partir de zéro.

Enfin, au bout de deux mois, elle commençait à entrevoir le bout du tunnel. Elle pouvait dormir la nuit sans se réveiller à plusieurs reprises pour penser à Hugh, et aspirer à être dans ses bras…

Ce matin, une fine pluie tombait. Bien que cela fût loin d'évoquer un orage tropical, ce temps lui mettait du vague à l'âme, lui remémorait des souvenirs… Aussi accueillit-elle avec soulagement le dérivatif que lui proposait son hôtesse et secrétaire, Dusty, en lui annonçant :

— Votre rendez-vous de 11 heures est là.

Sydney savait à peine de quoi il s'agissait. Une proposition de fusion, selon Dusty. Celle-ci n'était pas la plus efficace des secrétaires, mais elle était honnête, fiable, fidèle au poste et n'exigeait pas un salaire mirobolant. Ce qui n'était pas négligeable, en attendant que l'entreprise ait étoffé sa clientèle… Le « rendez-vous de 11 heures » était peut-être porteur de la petite manne qu'elle attendait !

Plaquant sur son visage son meilleur sourire de femme d'affaires, Sydney se leva lorsque la porte de son bureau s'ouvrit et eut l'impression de recevoir un coup de poing au creux de l'estomac.

Hugh se tenait devant elle ! Rasé de près, vêtu d'un costume, il arborait un air solennel. Ainsi habillé, il était extrêmement beau.

Dans un élan de joie et de chagrin mêlés, son cœur fit un bond. Elle avait cru qu'elle commençait à l'oublier, à se remettre. En un instant, elle réalisait qu'il n'en était rien !

— Que fais-tu ici ? lui demanda-t-elle.

Il esquissa un sourire.

— Je suis venu discuter d'une fusion.

Il n'avait pas son allure coutumière de téméraire désinvolte qui ne redoute rien. Au contraire, il paraissait nerveux et cela la surprit.

— Quel genre de fusion ? s'enquit-elle en s'efforçant de rester sur un terrain professionnel. Fly Guy et…

— Wonder Woman.

— Pardon ?

Hugh serra les mâchoires mais la regarda tout de même en face et lâcha d'une voix rauque :

— Toi. Et moi.

Sydney eut l'impression que ses jambes se dérobaient sous elle. Tendant la main à l'aveuglette, elle parvint à agripper le bras de son fauteuil et s'y laissa choir avec une sensation de vertige. *Toi et moi ?* C'était à tomber à la renverse ! Voulait-il réellement dire que…

— Tu ne vas pas tomber dans les pommes ? dit-il d'un ton raffermi qui évoquait nettement, cette fois, le Hugh qu'elle connaissait.

— N…non. Je veux dire, peut-être. J'ai failli. Que veux-tu dire, par « toi et moi » ? Tu veux parler de… de…

148

Elle ne put achever sa phrase. Elle n'osait y croire et se demandait même s'il ne s'agissait pas d'une hallucination, s'il était bien réel.

— De mariage.

La voyant interdite, il fit quelques pas et s'approcha. En levant le visage vers lui, elle put sentir son souffle. Non, elle ne rêvait pas : Hugh était bien là, devant elle, en chair et en os !

Eberluée, elle secoua la tête.

— Pourquoi secoues-tu la tête comme ça ? demanda-t-il en s'agenouillant devant elle. Tu veux dire non ?

— Non, murmura-t-elle. Je veux dire oui.

Enfin, il sourit, de ce magnifique sourire qui l'avait fait chavirer dès la première minute.

— Alors, tout est bien, dit-il en se redressant et en l'attirant à lui dans le même mouvement.

Il sourit plus largement, et Sydney eut l'impression qu'il avait tout à coup dix ans de moins. Elle se laissa aller dans ses bras et effleura de la main le fin cachemire de son pull.

— Impressionnant, commenta-t-elle.

— Je peux l'être quand il le faut, murmura-t-il en la couvrant d'une pluie de baisers.

— Tu t'es même rasé.

— J'ai fait tout ce qu'il fallait. Il fallait absolument que je te voie, que je te parle, que je te demande en mariage. Quand j'ai découvert, en revenant le lendemain, que tu étais partie… J'étais comme fou depuis ta disparition.

Le lendemain ? Demande en mariage ? Oh ! seigneur ! Ainsi, si elle avait attendu un jour, un simple jour…

— Il faut vraiment que j'apprenne la patience ! s'exclama-t-elle en l'embrassant.

— Ce serait génial, approuva-t-il en souriant, mais ce ne serait plus toi. Oh ! bon sang, Sydney, je t'aime ! Je n'aime que toi. C'est tout ce qui compte.

Ces mots qu'elle n'espérait plus entendre, voilà qu'il les prononçait au moment le plus inattendu. La vie était inouïe, non ?

Or, ce n'était pas l'heure de faire de la philosophie ! Elle sentait déjà sur les siennes les lèvres fiévreuses, passionnées de Hugh, et n'était que trop disposée à répondre à leur pression grisante.

Ce fut un baiser prolongé, profond, intense. Quand ils se séparèrent, ils étaient à bout de souffle et avaient éperdument envie d'aller plus loin. Le lieu où ils se trouvaient ne se prêtait toutefois pas aux ébats…

— J'ai réparé le toit, murmura Hugh contre son oreille. Tu pourrais venir voir si ça te paraît comme il faut.

— Il n'y a plus de fuites, alors ?

— S'il en reste, j'arrangerai ça. Et puis, après notre mariage, je t'apprendrai à pêcher et à jouer aux échecs…

— Je sais déjà jouer aux échecs !

— Il faudra que tu me le prouves, alors, dit-il en riant.

— Affaire conclue ! répondit-elle en riant aussi. Nous ferons autant de parties que tu voudras.

Là-dessus, leurs regards se croisèrent, se rivèrent l'un à l'autre.

— J'ai été un peu lent à réagir, reprit Hugh avec des yeux brillants. Mais j'ai fini par avoir gain de cause. Je t'aime plus que la vie elle-même, Sydney. Le monde n'est pas à moitié aussi beau quand tu n'es pas avec moi. Veux-tu m'épouser ?

Emerveillée, Sydney le regarda intensément.

— Oui. Oh oui ! Je t'aime aussi, Hugh. Et je t'aimerai toujours.

Ils se marièrent un mois plus tard à Pelican Cay, tout comme Lachlan et Fiona, qui s'étaient mariés sur l'île.

Tous les habitants partagèrent leur joie. Erica procura à Sydney une robe de rêve et Trina, la grand prêtresse de la météo, leur assura une belle journée de soleil. Quant à Molly, elle fut leur demoiselle d'honneur et, à son grand désarroi, ce fut à elle qu'échut le bouquet de la mariée !

La réception et le bal se prolongèrent tard, dans la liesse générale et, lorsqu'ils s'achevèrent, Hugh et Sydney s'étaient envolés depuis longtemps pour le Montana où ils devaient passer leur lune de miel dans un chalet de montagne.

— Rien que toi et moi, et pas le moindre souci, avait déclaré Sydney en suggérant l'idée.

Elle avait escompté qu'ils feraient du canoë-kayak, des parties de pêche, des randonnées… Et voilà qu'ils étaient confinés à l'intérieur car, dehors, la pluie tombait sans relâche !

Par-dessus le marché, il y avait une fuite dans le toit ! En riant, Hugh plaça un faitout sous l'eau qui gouttait du plafond. Sydney se sentit mortifiée.

— Désolée, murmura-t-elle.

— Moi, je ne suis pas désolé du tout ! assura Hugh, hilare. La pluie, les tempêtes, on connaît ça. On sait comment les affronter, pas vrai ?

— Tu veux faire une partie d'échecs, c'est ça ? proposa Sydney avec un petit sourire.

— A ton avis ?

Il la souleva et l'emporta dans la chambre où, par chance, le toit ne fuyait pas. Puis il l'allongea doucement sur le lit, la rejoignit d'un bond et se pencha sur elle.

— Alors, cette partie, madame McGillivray ? demanda-t-il avec une lueur dans le regard.

Les yeux de Sydney scintillèrent.

Elle attira Hugh à elle, l'embrassa avec passion, puis se frotta sensuellement contre lui, savourant le contact de la partie la plus virile de son anatomie, qui trahissait son désir.

Avec un sourire coquin, elle murmura :

— A toi de jouer, monsieur mon mari…

Le nouveau visage de la collection Or

◆

AMOURS D'AUJOURD'HUI

Afin de mieux exprimer sa modernité et de vous séduire encore davantage, votre collection Or a changé de couverture et de nom depuis le 1er mars 1995.

Rassurez-vous, les romans, eux, ne changent pas, et vous pourrez retrouver dans la collection **Amours d'Aujourd'hui** tous vos auteurs préférés.

Comme chaque mois, en effet, vous y attendent des héros d'aujourd'hui, aux prises avec des passions fortes et des situations difficiles...

**COLLECTION
AMOURS D'AUJOURD'HUI :**
Quand l'amour guérit des blessures de la vie...

Chère lectrice,

Vous nous êtes fidèle depuis longtemps?
Vous venez de faire notre connaissance?

C'est pour votre plaisir que nous avons
imaginé un rendez-vous chaque mois
avec vos auteurs préférés, vos
AUTEURS VEDETTE dans les
collections Azur et Horizon.

Les AUTEURS VEDETTE vous
donneront rendez-vous pour de
nouveaux livres vedette.

Pour les reconnaître, cherchez
l'étoile ... Elle vous guidera!

Éditions Harlequin

AUT-R-R

HARLEQUIN

LE FORUM DES LECTEURS ET LECTRICES

CHERS(ES) LECTEURS ET LECTRICES,

VOUS NOUS ETES FIDÈLES DEPUIS LONGTEMPS?

VOUS VENEZ DE FAIRE NOTRE CONNAISSANCE?

SI VOUS AVEZ DES COMMENTAIRES, DES CRITIQUES À
FORMULER, DES SUGGESTIONS À OFFRIR, N'HÉSITEZ
PAS… ÉCRIVEZ-NOUS À:
   LES ENTERPRISES HARLEQUIN LTÉE.
   498 RUE ODILE
   FABREVILLE, LAVAL, QUÉBEC.
   H7R 5X1

C'EST AVEC VOS PRÉCIEUX COMMENTAIRES QUE NOUS
ALLONS POUVOIR MIEUX VOUS SERVIR.

DE PLUS, SI VOUS DÉSIREZ RECEVOIR UNE OU
PLUSIEURS DE VOS SÉRIES HARLEQUIN PRÉFÉRÉE(S)
À VOTRE DOMICILE, NE TARDEZ PAS À CONTACTER LE
SERVICE D'ABONNEMENT; EN APPELANT AU
(514) 875-4444 (RÉGION DE MONTRÉAL) OU 1-800-667-4444
(EXTÉRIEUR DE MONTRÉAL) OU TÉLÉCOPIEUR
(514) 523-4444 OU COURRIER ELECTRONIQUE:
AQCOURRIER@ABONNEMENT.QC.CA OU EN ÉCRIVANT À:
   ABONNEMENT QUÉBEC
   525 RUE LOUIS-PASTEUR
   BOUCHERVILLE, QUÉBEC
   J4B 8E7

MERCI, À L'AVANCE, DE VOTRE COOPÉRATION.

BONNE LECTURE.

HARLEQUIN.

VOTRE PASSEPORT POUR LE MONDE DE L'AMOUR.

ROUGE PASSION

**De fiévreuses histoires
d'amour sensuelles!**

De provocantes histoires
d'amour passionnées et
romantiques qu'on lit d'une
seule traite. Aventureuses,
parfois humoristiques, et
sensuelles, elles mettent en
vedette des hommes et des
femmes d'aujourd'hui.

**ROUGE PASSION...
trois nouveaux titres
chaque mois.**

GEN-RP-R

COLLECTION HORIZON

Des histoires d'amour romantiques qui vous mènent au bout du monde!

Découvrez la passion et les vives émotions qu'apportent à la Collection Horizon des auteurs de renommée internationale!

Captivantes, voire irrésistibles, ces histoires d'amour vous iront assurément droit au coeur.

Surveillez nos trois nouveaux titres chaque mois!

GEN-H-R

HARLEQUIN

Lisez Rouge Passion pour rencontrer L'HOMME DU MOIS!

Chaque mois, vous rencontrerez un homme **très sexy** dans la série Rouge Passion.

On peut distinguer les livres L'HOMME DU MOIS parce qu'il y a un très bel homme sur la couverture! Et dedans, vous trouverez des histoires écrites selon le point de vue de l'homme et de la femme.

Les livres L'HOMME DU MOIS sont écrits par les plus célèbres auteurs de Harlequin!

Laissez-vous tenter avec L'HOMME DU MOIS par une histoire d'amour sensuelle et provocante. Une histoire chaque mois disponible en août là où les romans Harlequin sont en vente!

RP-HOM-R

◁ HARLEQUIN ▷

COLLECTION
ROUGE PASSION

- Des héroïnes émancipées.
- Des héros qui savent aimer.
- Des situations modernes et réalistes.
- Des histoires d'amour sensuelles et provocantes.

LAISSEZ-VOUS TENTER
par 3 titres irrésistibles
chaque mois.

RP-1-R

**L'ASTROLOGIE EN DIRECT
TOUT AU LONG
DE L'ANNÉE.**

(France métropolitaine uniquement)
Par téléphone 08.92.68.41.01
0,34 € la minute (Serveur SCESI).

Composé et édité par les
éditions Harlequin
Achevé d'imprimer en février 2005

BUSSIÈRE
GROUPE CPI

à Saint-Amand-Montrond (Cher)
Dépôt légal : mars 2005
N° d'imprimeur : 50117 — N° d'éditeur : 11125

Imprimé en France